Y0-BPX-320

TOME 1
Les Chevaux
Les Chiens
Les Chats
Les Poissons

TOME 2
Les Insectes
Les Abeilles
Les Microbes
Les Mammifères

TOME 3
La Natation
Le Camping
La Culture Physique
La Conservation

TOME 4
Le Dessin
La Prestidigitation
La Musique
Le Ballet

TOME 5
Le Coton
La Laine
Le Verre
Les Plantes

TOME 6
Les Cavernes
La Jungle
La Mythologie
L'Homme des Cavernes

TOME 7
Les Aéronefs
Les Bateaux
Les Automobiles
Les Trains

TOME 8
L'Air
Le Son
L'Eau
L'Énergie

TOME 9
L'Électricité
La Télévision
Les Expériences Scientifiques
La Lumière

TOME 10
L'Astronomie
Volcans et Séismes
Les Glaciers
La Météorologie

TOME 11
Le Temps
La Terre
Les Ponts
L'Océan

TOME 12
Les Animaux Disparus
Les Cow-Boys
L'Éducation Sexuelle
Les Jeux Olympiques

Collection à la Découverte

TOME 10

L'astronomie
Volcans et séismes
Les glaciers
La météorologie

Rédacteur en chef: ANDRÉ SAINT-PIERRE

Directeur de la rédaction: JÉRÔME BESNER

GROLIER LIMITÉE • Montréal

Imprimé au Canada, 1979
ISBN, O-7172-4302-8
Dépôt légal, 1er trimestre 1979
Bibliothèque nationale du Québec

Table des matières

L'astronomie

Notre planète, la Terre 6
(+ Tome 11, p. 71)
L'atmosphère 11
(+ Tome 8, p. 14)
Pourquoi le ciel nous paraît bleu 12
L'orbite de la terre 13
La lune 15
Le soleil 27
Nos voisines, les planètes 33
Mercure 35
Vénus 36
Mars 38
Jupiter 41
Saturne 43
Uranus 45
Caractéristiques des planètes du système solaire 48
Etoiles filantes et météorites 50
Les comètes 52
L'espace et au-delà 54
Constellations du Zodiaque 57
Carte du ciel 60
Notre galaxie et au-delà 68

Volcans et séismes

Eruption dans un champ de maïs 75
Qu'est-ce qu'un volcan? 77
(+ Tome 11, p. 99)
Importance de la pression 80
Le magma se fraye un passage 81
Points faibles de l'écorce terrestre 82
Répartition géographique des volcans 84
A magma différent, éruption différente 86
Plateau de roches volcaniques 87
Les gaz qui s'échappent de la cheminée d'un volcan 88
Ejection de roches ignées 90
Coulées de lave 91
Formes étranges de lave 93
Montagne de verre et roche flottante 97
Formes de cônes volcaniques 99
Les différents cratères 101
La vulcanologie et ses applications 103
Sources thermales 105
Les séismes peuvent changer la face du globe 110
Lorsque la roche se déplace 111
Ondes de choc dues aux séismes 113
Importance du séismographe 114
Repérage d'un séisme 120
Autres usages du séismographe 123
Quand la terre tremble 125

Les glaciers

Congélation de la nature 134
La période glaciaire 135
Quelle peut être l'étendue d'un glacier? 137
Naissance d'un glacier de vallée 140
Causes du mouvement des glaces 142
La vitesse de progression d'un glacier 144
Avance variable des divers secteurs d'un glacier 145
Les icebergs 147
Les glaciers de Piémont 148
Au sommet d'un glacier 149
Danger! crevasse! 151
Le glacier de Grinnell 152
Action de l'eau à l'intérieur d'un glacier 154
La formation d'un cirque 157
La vie et le travail d'un glacier de vallée 159
La mort d'un glacier 161
Les vestiges d'un glacier de vallée 162
Après le passage d'un glacier 163
Les fjords 165
Le sol d'une vallée 166
Signes distinctifs du passage antérieur d'un glacier 169
Les moraines 169
Traces d'un ancien inlandsis 171
Les blocs erratiques 173
Un genre particulier de moraine de fond 174
Autres traces d'un inlandsis disparu 175
Limites extrêmes d'un inlandsis 176
Au-delà de la moraine terminale 179
L'inlandsis a redessiné lacs et rivières 179
Un fleuve noyé 183
Les marques laissées par l'inlandsis 184
L'année géophysique internationale 186

La météorologie

L'air qui nous entoure 191
(+ Tome 8, p. 8 et Tome 9, p. 145)
Les gaz présents dans l'air 192
Les couches d'air 193
(+ Tome 8, p. 14)
La pression atmosphérique 195
Ce qui chauffe notre planète 198
Le temps et le climat 202
Mesure de la température 205
Ce qui arrive quand on chauffe l'air 207
Les baromètres et leur fonctionnement 209
Grands et petits vents 212
L'échelle de Beaufort 213
Annonceurs de tempêtes 215
Les vents planétaires 218
Les cyclones 220
Les tornades 221
L'eau présente partout 223
Mesure de l'humidité 225
Indicateurs d'humidité 227
La rosée et le givre 228
Le brouillard et la pollution de l'air 229
(+ Tome 8, p. 41)
La formation des nuages 230
(+ Tome 8, p. 42)
Le code des nuages 233
Les précipitations 234
(+ Tome 8, p. 45)
Pour mesurer la pluie 236
Les orages 237
L'arc-en-ciel 239
(+ Tome 9, p. 269)
La glace qui tombe du ciel 240
La neige 241
Les variations de temps 242
Vagues de chaleur ou de froid 244
Le choc des masses d'air 245
Front chaud ou froid 246
Les prévisions du temps 249
Production artificielle de la pluie 252
(+ Tome 8, p. 209)
Méthode pour prédire le temps 253
Lecture d'une carte météorologique 256
Prévisions à longue échéance 258
Comment établir soi-même des prévisions 259

AMERICAN MUSEUM OF NATURAL HISTORY

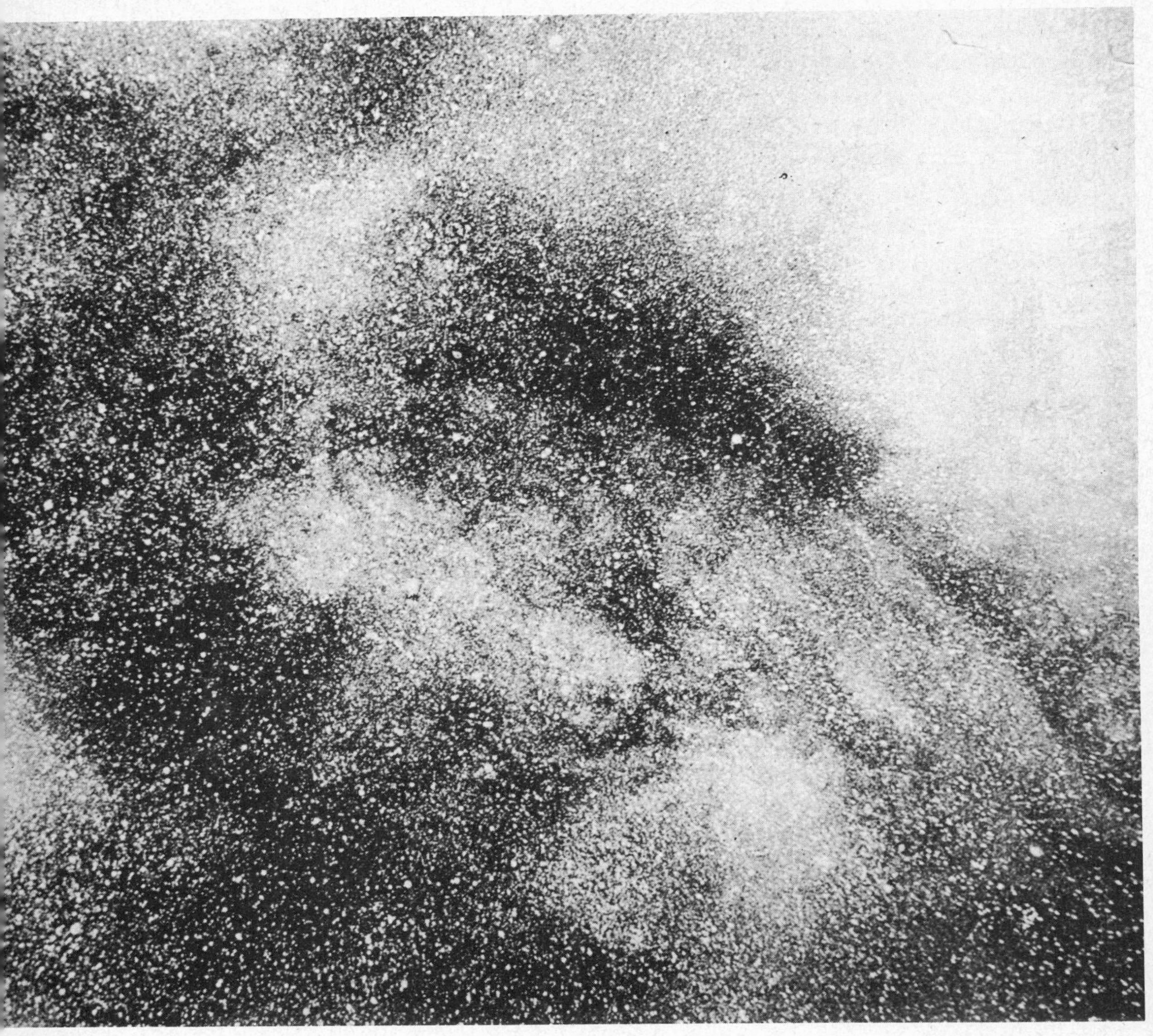

La Voie lactée

L'ASTRONOMIE

par VIVIAN GREY
illustrations par GEORGE GEYGAN
version française par BERNARD DAGENAIS

NOTRE PLANÈTE, LA TERRE

Depuis leurs lointains ancêtres qui traçaient les images du Soleil, de la Lune et des étoiles sur les parois de leurs cavernes, les hommes n'ont jamais cessé de s'interroger sur les mystères du ciel. Les peuples anciens bâtirent toutes sortes de légendes sur le jour, sur la nuit, sur les astres, mais leur principale préoccupation était de s'expliquer pourquoi et comment la Terre est présente dans notre Univers.

Aujourd'hui, nous pouvons répondre à bien des questions qu'ils se posaient, grâce à nos connaissances en astronomie — l'une des sciences les plus vieilles du monde — dont l'objet est l'étude des corps célestes.

En escaladant les montagnes, en découvrant les rivières, en touchant de ses mains les arbres et le sol, l'homme primitif avait compris que la Terre est vaste. Il n'est pas surprenant qu'elle lui ait paru beaucoup plus grande que ces petits points scintillant dans le ciel nocturne, et qu'il ait fait de la Terre le centre du monde.

Il y a quelques siècles, il était normal de penser que la Terre était plate et seulement bosselée par les collines et les montagnes. Sous leurs pieds, les hommes de cette époque voyaient que le sol était généralement plat; cela leur paraissait une preuve suffisante.

Quelques observateurs, pourtant, remarquèrent que l'ombre projetée par la Terre sur la Lune, à certaines périodes, était ronde et que, sur la mer, un bateau qui s'éloigne semble s'enfoncer peu à peu dans l'eau, ce qui n'est concevable que si la surface terrestre est courbe. Au début du XVIe siècle, les marins de Ferdinand Magellan, qui étaient partis du Portugal et avaient navigué constamment vers l'ouest, finirent par rentrer à leur port d'attache. Pour revenir ainsi à leur point de départ, il fallait que la Terre fût ronde.

Au moyen d'appareils de prise de vues montés sur des fusées, les savants actuels ont pris à grande altitude des photos qui font apparaître la courbure de la Terre. Effectivement, la Terre est un globe, très légèrement aplati aux deux pôles.

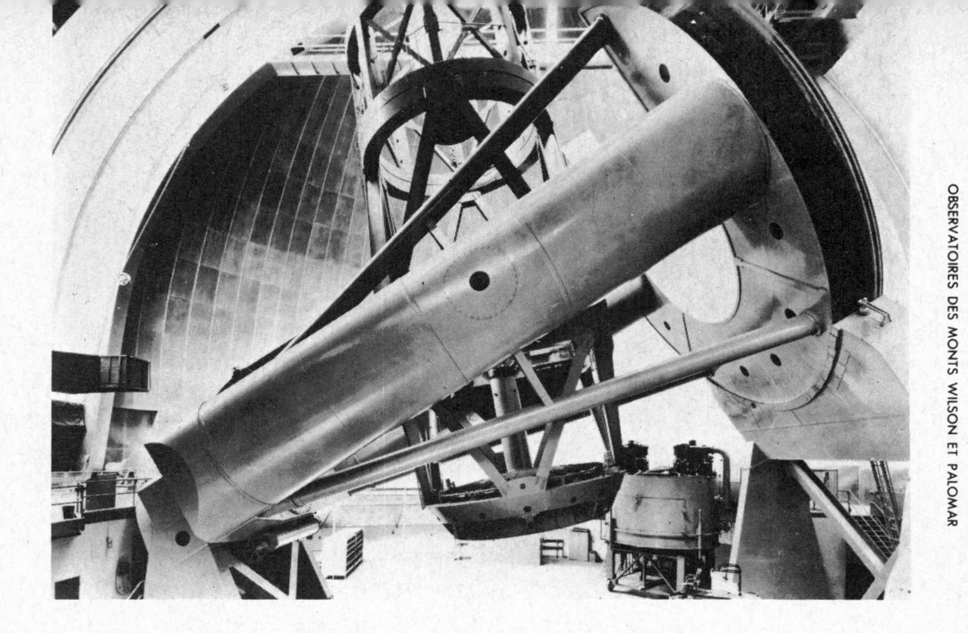

OBSERVATOIRES DES MONTS WILSON ET PALOMAR

Le télescope Hale, à l'observatoire du mont Palomar, a un diamètre de 5 m (200 pouces).

Lorsqu'on saute en l'air, on retombe sur le sol: il est impossible de s'en détacher. Cette force qui fait que la Terre attire ou tend à attirer les autres corps, s'appelle gravité ou, plus communément, pesanteur. On ne peut voir ni toucher la pesanteur, mais elle est partout. Un corps volumineux fait d'une grande quantité, ou masse, de matière aura plus de pesanteur qu'un corps plus petit. Comme la Terre représente une plus grande masse de matière que tout ce qui se trouve à sa surface, elle attire tout à elle. Cependant, tous les objets, tous les corps, y compris vous-même, qui existent sur la Terre, exercent eux aussi une attraction sur elle.

C'est la pesanteur qui retient les aliments dans votre assiette, qui vous permet de rester assis en lisant ce livre. C'est elle qui fait qu'un paquet est lourd ou léger, puisque le poids d'une personne ou d'une chose correspond à l'attraction exercée sur elle par la Terre. C'est à cause de la pesanteur que les hommes marchent toujours les pieds sur le sol et la tête vers le ciel, où qu'ils se trouvent sur notre planète.

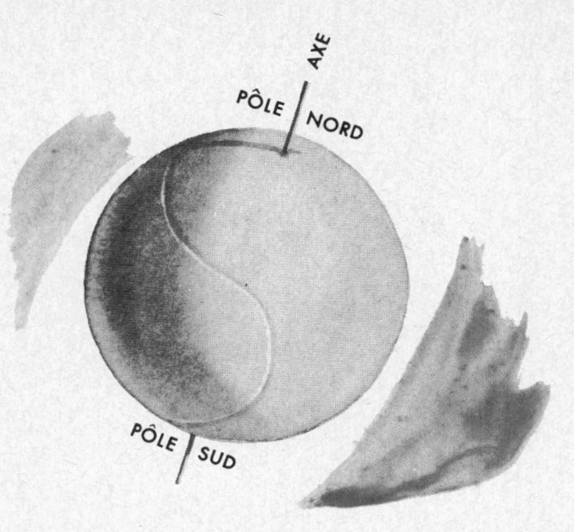

La Terre se déplace dans l'espace en tournant sur elle-même. L'expérience suivante illustrera ce mouvement de rotation: enfoncez un fil de fer à travers le centre d'une balle de caoutchouc, et faites tourner la balle sur elle-même sans déplacer le fil de fer. Vous remarquerez que tous les points de la balle se déplacent, sauf ceux par où le fil de fer pénètre et sort. Ces deux points sont les pôles de la balle et le fer qui la traverse est son axe.

Notre Terre, elle aussi, a deux pôles et un axe. Au cours de son déplacement dans l'espace, deux de ses points restent donc fixes. Celui situé dans sa moitié nord s'appelle le pôle Nord. Le point opposé s'appelle le pôle Sud. L'axe est une ligne imaginaire passant par ces deux points et le centre de la Terre, exactement comme le fil de fer de notre expérience.

A la hauteur de l'équateur, c'est-à-dire à mi-chemin de sa surface entre les pôles Nord et Sud, la Terre tourne à plus de 1 600 km (1 000 milles) à l'heure. Elle effectue le tour complet de son axe en un jour.

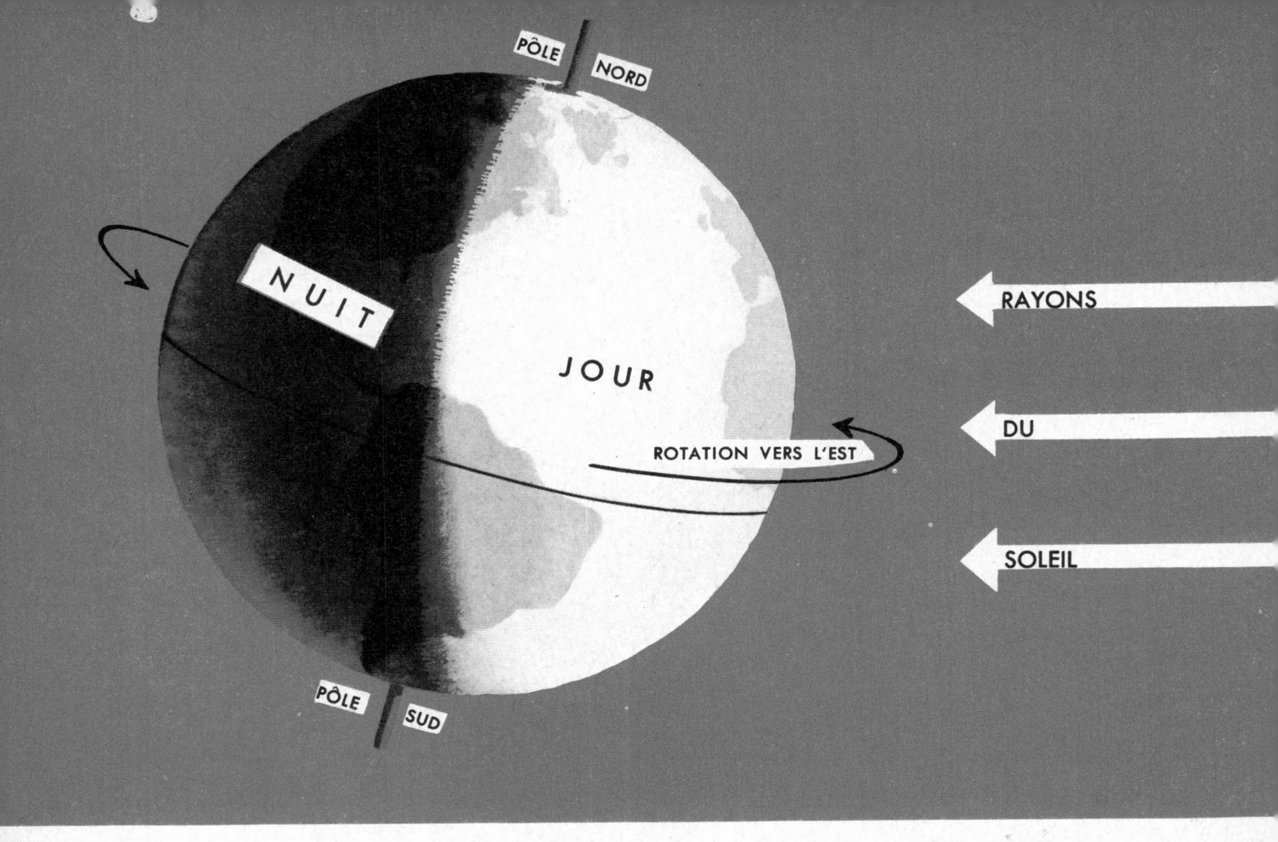

A mesure que la Terre tourne, le jour envahit la partie de sa surface qui s'expose aux rayons du soleil.

C'est cette rotation qui crée le jour et la nuit. Le côté de la Terre qui fait face au Soleil est en plein jour; le côté opposé est dans l'obscurité et se trouve donc plongé en pleine nuit.

A la tombée du jour, on voit le Soleil disparaître vers l'ouest; à l'aube, on le verra reparaître à l'est, ce qui prouve que la Terre tourne d'ouest en est. Cela explique aussi pourquoi le Soleil, la Lune et les étoiles nous paraissent tourner, le jour comme la nuit, dans la direction opposée.

L'ATMOSPHÈRE

La Terre est complètement enveloppée d'un mélange de gaz que nous appelons air et qui est constitué surtout d'oxygène et d'azote. Cette couche d'air s'appelle atmosphère. Maintenue autour de notre planète par la pesanteur, cette couche protectrice accompagne la Terre dans son mouvement de rotation. Plus on s'élève au-dessus du sol, plus l'air est rare. Au-delà de 80 km (50 milles) d'altitude, il a presque entièrement disparu.

Pendant la journée, le ciel nous apparaît bleu. Pourquoi pas rose, violet, vert ou jaune? A cause de l'atmosphère qui, en cette circonstance, joue un rôle assez curieux. En effet, dans l'espace, les rayons du soleil voyagent en ligne droite et forment une lumière invisible, mais ils s'éparpillent en tous sens dès qu'ils entrent dans la couche d'air entourant la Terre; on dit qu'ils se dispersent.

Pour comprendre ce phénomène, faites l'expérience suivante: placez une cuiller dans un verre d'eau; élevez celui-ci à hauteur de vos yeux et regardez la cuiller de profil. Vous verrez que le manche de la cuiller semble cassé à l'endroit où il entre dans l'eau. Pourquoi? Parce que les rayons lumineux ont changé de direction en passant de l'air, relativement peu dense, à l'eau.

Le manche de la cuiller semble cassé à l'endroit où il entre dans l'eau.

C'est ce qui se passe pour les rayons lumineux venus du Soleil. En pénétrant dans l'atmosphère, ils sont déviés et dispersés par l'air et les fines poussières. La lumière solaire est formée de rayons de différentes couleurs qui composent l'arc-en-ciel. Dans notre atmosphère, c'est le bleu qui se disperse le plus. C'est pourquoi le ciel nous paraît bleu.

Au-delà de l'atmosphère règne le vide qu'on appelle l'espace interplanétaire et qui s'étend jusqu'à l'infini. C'est dans cet espace sans limites que se déplacent tous les corps célestes.

Les rayons lumineux sont déviés et se dispersent lorsqu'ils pénètrent dans l'atmosphère terrestre.

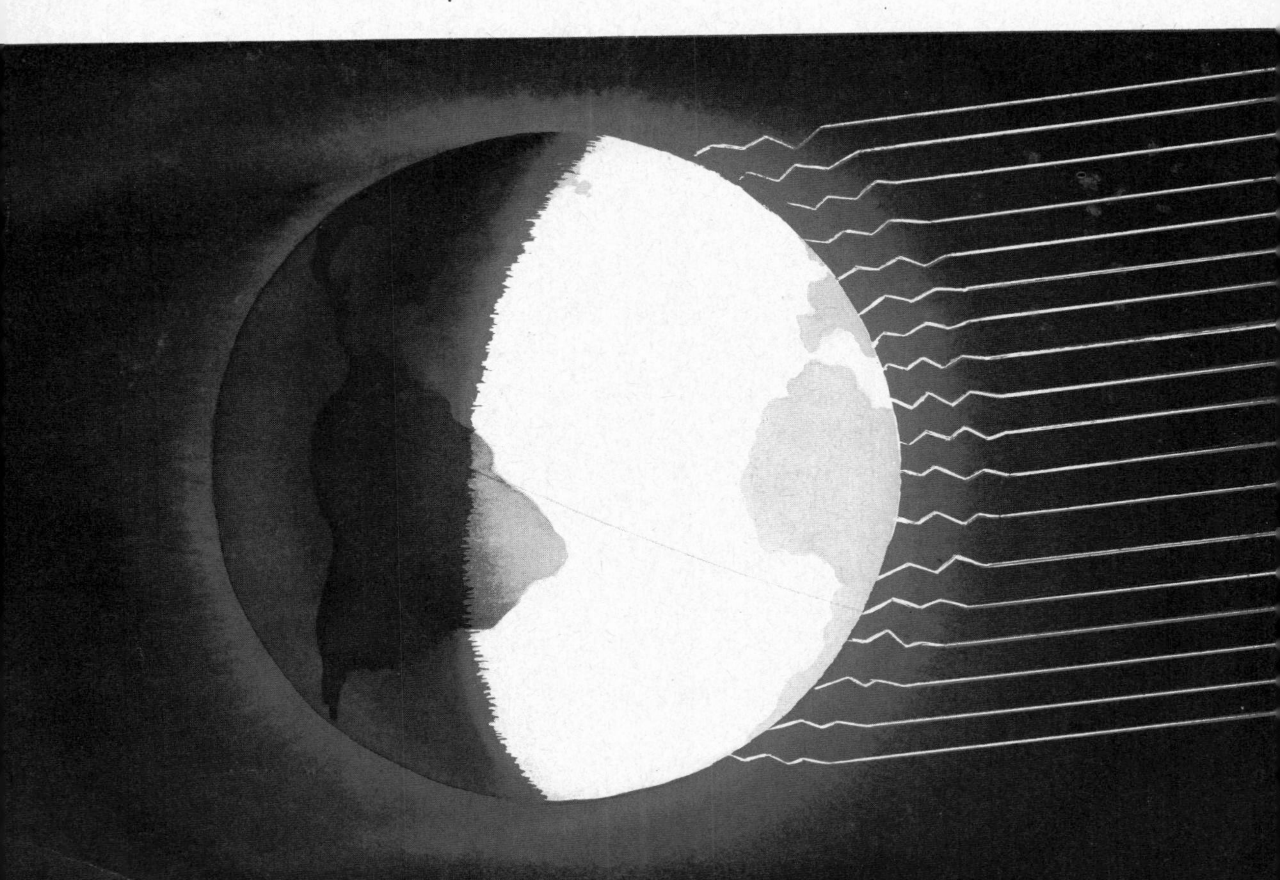

Si la ficelle ne retenait pas la balle, elle s'en irait dans l'air.

L'ORBITE DE LA TERRE

Tandis que la Terre pivote sur son axe, elle fait le tour du Soleil en suivant un trajet de forme elliptique appelé orbite. La Terre met très approximativement 365 jours 1/4 pour parcourir ce trajet. Cette durée définit l'année comme unité de temps.

Pour comprendre comment la Terre se déplace sur son orbite, faites tournoyer une balle au bout d'une ficelle, au-dessus de votre tête. Notez que la balle décrit un cercle dans l'air. A mesure qu'elle tourne, elle semble s'éloigner du centre du cercle. Si vous ne teniez pas la ficelle, la balle s'en irait loin de vous.

De la même façon, la Terre ne graviterait pas autour du Soleil, mais s'en éloignerait définitivement et de plus en plus, s'il n'y avait une force pour la retenir sur son orbite. La gravitation solaire est cette force qui attire et retient la Terre. L'attraction solaire d'une part, et la tendance de la Terre à s'en échapper d'autre part, se font équilibre et créent une résultante dont l'effet détermine l'orbite terrestre autour du Soleil.

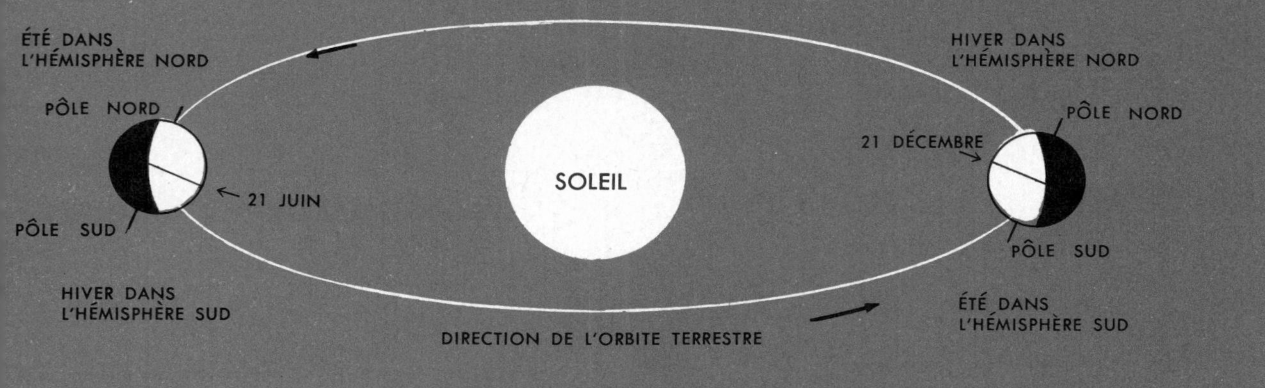

Les saisons résultent de l'inclinaison de l'axe de la Terre pendant son trajet autour du Soleil.

Pendant que la Terre tourne autour du Soleil, son axe n'est pas perpendiculaire au plan de son orbite, mais légèrement incliné. En raison de cette inclinaison, la moitié nord de la Terre est penchée vers le Soleil pendant la moitié de l'année. Elle reçoit donc plus directement les rayons solaires, ce qui engendre le printemps et l'été, tandis que l'autre moitié de l'année, la Terre est toujours inclinée de la même manière, mais se trouve du côté opposé de son orbite et les saisons, dans les deux hémisphères, sont inversées.

Sans cette inclinaison, nous ne connaîtrions jamais la grande chaleur de l'été sauf en nous rendant dans les régions situées à l'équateur. A mi-chemin entre l'équateur et les pôles Nord et Sud, régnerait un printemps perpétuel. Quant aux régions polaires, à peine effleurées par les rayons solaires, elles seraient plongées dans une sorte de crépuscule permanent.

LA LUNE, SATELLITE DE LA TERRE

Notre plus proche voisine, la Lune, est à environ 354 000 km (220 000 milles) de nous. Etant son satellite, elle accompagne la Terre dans son mouvement orbital, mais en tournant autour d'elle exactement comme la Terre tourne autour du Soleil. La trajectoire de la Lune autour de la Terre, déterminée par la gravitation, est, elle aussi, presque circulaire, mais elle est plus courte que celle de la Terre, puisque chaque tour ne dure que 27 jours 1/3. La Lune tourne sur elle-même plus lentement que la Terre et les rayons du Soleil demeurent plus longtemps sur chacun des points qu'ils touchent: le jour lunaire dure 14 jours terrestres.

L'une des faces de la Lune demeure cachée aux yeux des observateurs terriens parce que la rotation de la Lune sur son axe dure exactement le même temps que sa rotation autour de la Terre. C'est donc toujours la même face de la Lune que nous voyons. Si vous tournez autour d'une chaise en demeurant face à elle, vous accomplirez un tour sur vous-même en même temps qu'autour de la chaise.

Si vous tournez autour de la chaise en lui faisant face, vous accomplirez un tour sur vous-même par rapport à la pièce.

Lorsque la balle de golf se trouve d'un côté ou de l'autre de la balle de tennis, c'est-à-dire quand la source de lumière et les deux balles ne sont pas sur une même ligne droite, une partie seulement de la moitié éclairée de la balle de golf fait face à la balle de tennis.

Si la Lune nous paraît plus grosse et plus brillante que les étoiles, c'est uniquement parce qu'elle est beaucoup plus proche de nous. En réalité, elle est l'un des plus petits objets naturels que nous puissions voir dans le ciel. Son diamètre est de 3 456 km (2 160 milles) seulement, soit un quart environ de celui de la Terre.

Nous ne voyons pas bien la Lune pendant le jour parce que le ciel bleu est trop brillant, mais après le coucher du Soleil, quand l'obscurité envahit le ciel, notre satellite, éclairé par les rayons du Soleil qui se réfléchissent sur lui, devient parfaitement visible. Nous nous trouvons alors dans la même situation qu'un spectateur, assis dans une salle plongée dans le noir, et qui regarde évoluer sur la scène un artiste éclairé par un gros projecteur. L'artiste, c'est notre satellite; le projecteur, c'est le Soleil.

Bien qu'elle reste toujours ronde, la Lune paraît changer de forme constamment. Ces changements s'appellent les phases de la Lune.

Pour comprendre comment ces phases se produisent, faites cette expérience. Dans une pièce obscure, placez sur une table, devant une lampe, une balle de golf figurant la Lune et une balle de tennis figurant la Terre. Déplacez maintenant la petite balle de golf autour de la grande, de la même façon que la Lune tourne autour de la Terre. Vous remarquerez que la lampe n'éclaire que la moitié environ de la petite balle. Lorsque celle-ci se trouve derrière la grosse balle par rapport à la lampe, toute sa moitié éclairée fait face à la grosse balle: c'est l'équivalent de la phase dite pleine Lune. Par contre, lorsque la petite balle se trouve entre la grosse balle et la lampe, c'est sa moitié obscure qui fait face à la grosse balle: c'est la phase de la nouvelle Lune. Entre-temps, quand la balle de golf est d'un côté ou de l'autre de la balle de tennis, elle ne lui présente qu'une partie de sa face éclairée. Cette partie arrondie, qui va en s'élargissant pendant le premier quartier et en s'amincissant pendant le dernier, est le fameux croissant.

Cette expérience reconstitue exactement les phases de la Lune dans son mouvement autour de la Terre. On voit sur l'illustration de la page suivante comment et pourquoi le croissant de lumière de la Lune s'élargit graduellement depuis la nouvelle Lune (1) et le premier quartier (2) jusqu'à la pleine Lune (3). Ensuite, le phénomène s'inverse: la Lune se rétrécit (de 3 à 4), dernier quartier, puis redevient un croissant de plus en plus mince dans les phases exactement opposées à 2 et 1. Au bout de 29 jours 1/2, le cycle entier a été effectué et nous nous retrouvons à la nouvelle Lune.

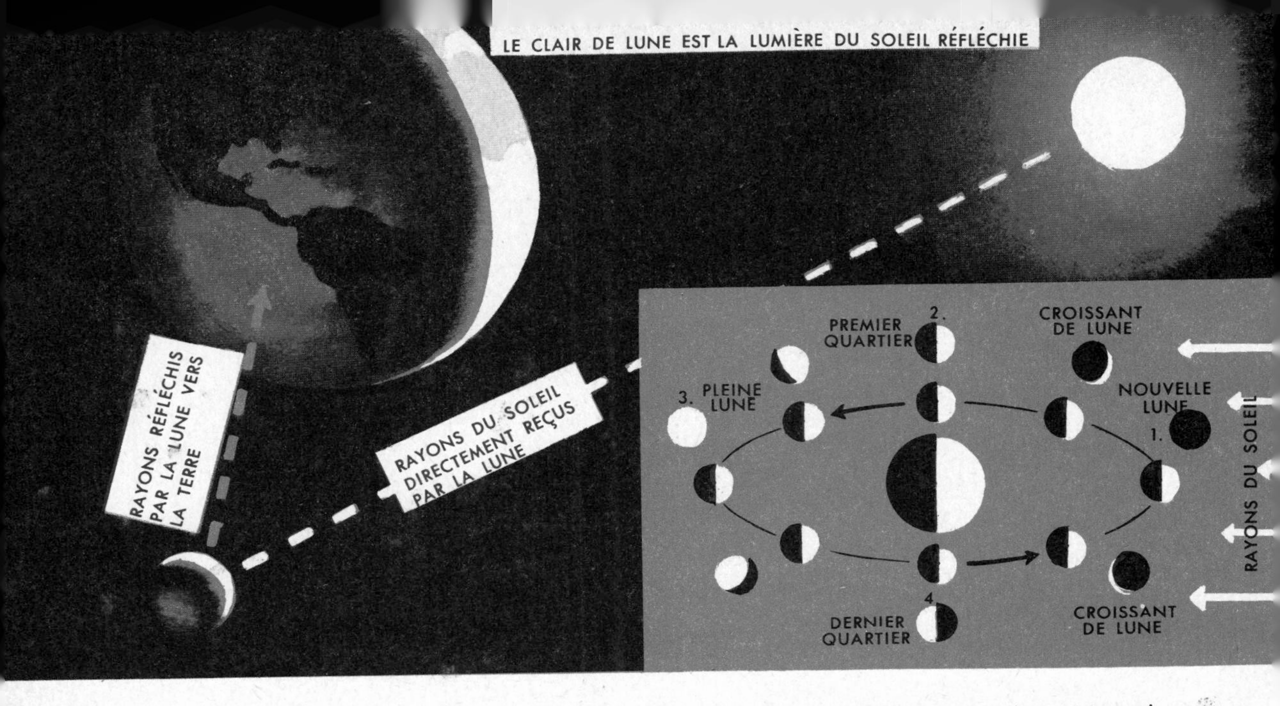

Le Soleil éclaire toujours une moitié de la Lune (sphères formant le cercle intérieur du petit dessin). Vue de la Terre, la partie éclairée s'élargit graduellement jusqu'à la pleine Lune (3), puis diminue jusqu'à la nouvelle Lune (1) (sphères du cercle extérieur du petit dessin).

La Lune exerce une attraction sur la Terre et tout ce qui s'y trouve. Les roches et autres matières solides ne se déplacent pas, mais l'eau de mer s'accumule dans les régions situées face à notre satellite. Cette accumulation se traduit par une hausse très nette de niveau et s'appelle marée haute. Le phénomène se répétant en même temps sur la face opposée de la Terre, il y a marée haute dans deux régions du globe simultanément. Ces marées se déplacent progressivement sur toute la surface des océans, en suivant la rotation de la Terre et de la Lune. Entre deux régions où la marée est haute, le niveau des mers baisse: c'est la marée basse.

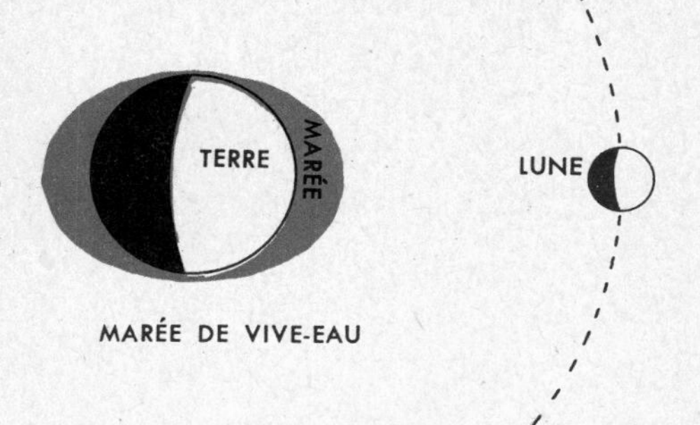

SOLEIL

Aux marées de vive-eau, le Soleil et la Lune additionnent leur force d'attraction.

Le Soleil exerce lui aussi une attraction sur la Terre, mais en raison de son éloignement, son attraction est moins forte que celle de la Lune. Les marées solaires sont donc moins fortes que les marées lunaires. Lorsque Soleil et Lune se trouvent en ligne droite avec la Terre — pendant la pleine Lune et la nouvelle Lune — leurs forces d'attraction respectives s'additionnent. Cette conjonction provoque des marées hautes plus fortes que la normale. Ce sont les marées de vive-eau. Par contre, quand la Lune se trouve sur le côté de la Terre par rapport au Soleil (premier et dernier quartiers), leurs attractions se contrarient et s'annulent partiellement. Cette opposition provoque des marées moins fortes que la normale: ce sont les marées de morte-eau.

Aux marées de morte-eau, le Soleil et la Lune exercent leur attraction dans deux directions perpendiculaires.

SOLEIL

LUNE

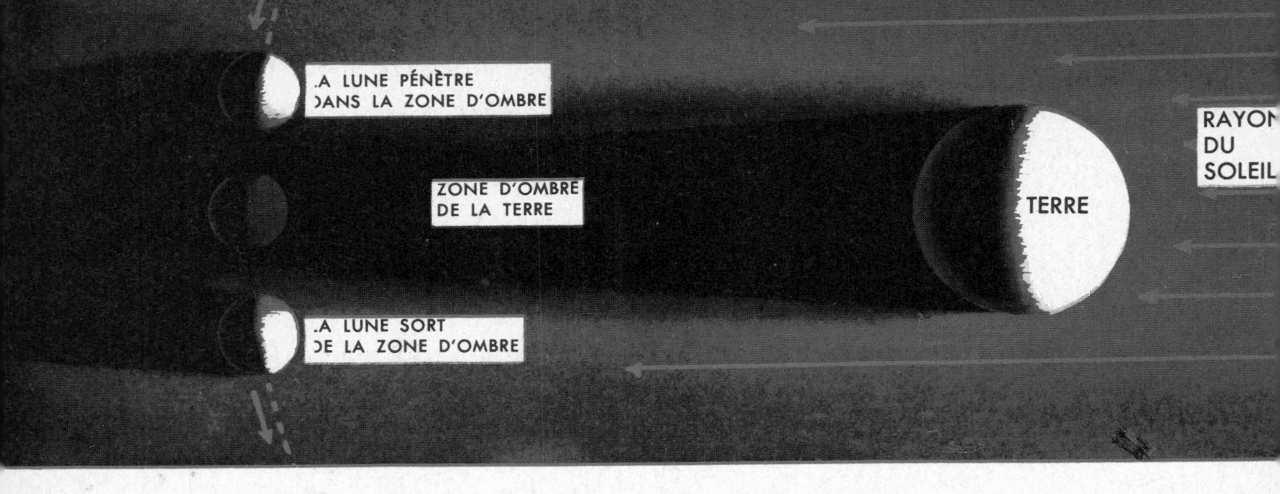

Mécanisme d'une éclipse de Lune

A certaines périodes, le Soleil, la Terre et la Lune se trouvent exactement en ligne droite, l'un par rapport à l'autre, dans l'espace. Dans ces conditions, l'un des trois masque la lumière d'un autre: c'est ce qu'on appelle une éclipse. Si c'est la Terre qui s'interpose entre son satellite et le Soleil, il se produit une éclipse de Lune. Ce genre de phénomène se produit toujours dans la phase de pleine Lune: la lumière du Soleil habituellement réfléchie par la Lune est arrêtée par la Terre, qui projette son ombre ronde sur la surface de la Lune. Les éclipses

La Lune pénétrant dans la zone d'ombre de la Terre, pendant une éclipse

AMERICAN MUSEUM OF NATURAL HISTORY

Eclipse totale de Soleil à l'île Enderbury, dans l'océan Pacifique

de ce type peuvent être observées de tous les points de la Terre d'où la Lune est normalement visible.

Dans une éclipse de Soleil, c'est la Lune qui s'interpose entre la Terre et le Soleil et projette son ombre sur la Terre. Il arrive que cette éclipse soit totale. En ce cas, dans une certaine zone formant une bande étroite et allongée à la surface de la Terre, on peut voir le Soleil disparaître complètement pendant quelques instants derrière la Lune, dans un ciel devenu noir. Dans d'autres cas, il s'agit d'éclipses partielles, au cours desquelles une partie seulement du Soleil est masquée, ou d'éclipses annulaires, qui laissent subsister une mince couronne de lumière autour du disque solaire.

Mécanisme d'une éclipse de Soleil

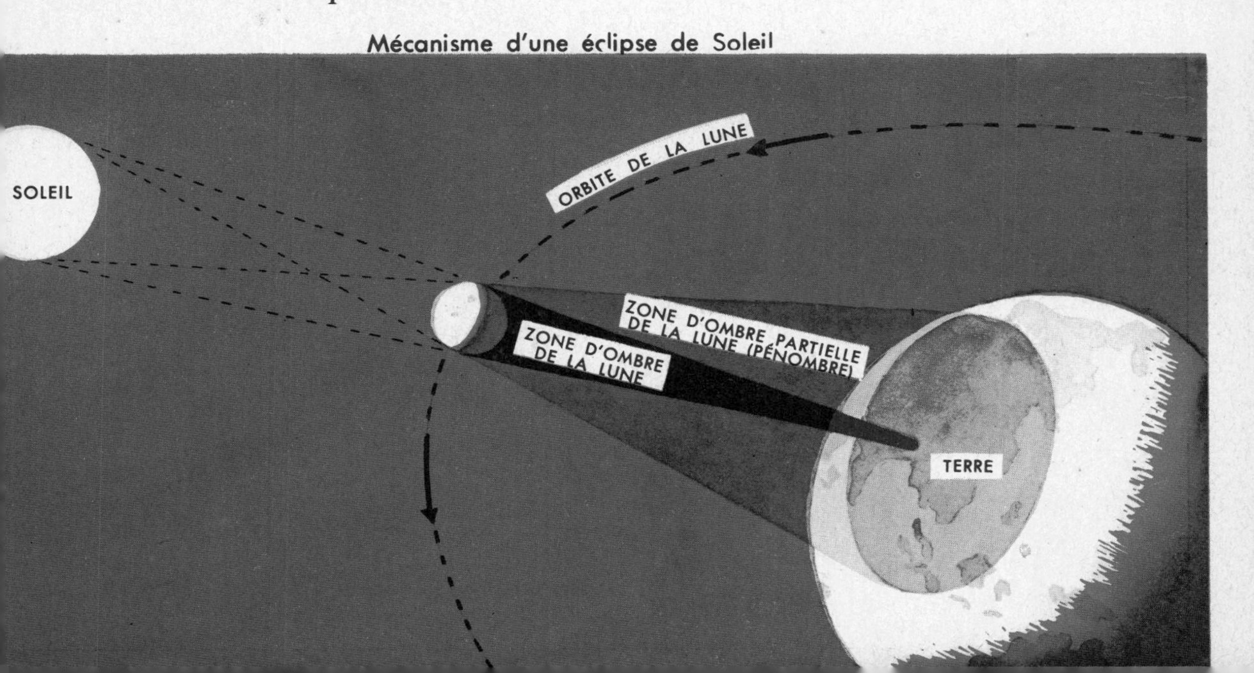

Eclipse de Soleil partielle

Eclipse annulaire

Les éclipses de Soleil ne peuvent être observées de la Terre que dans une zone étroite et longue déterminée par le mouvement de la Lune qui déplace sa tache d'ombre comme un coup de pinceau sur la surface de la Terre. Il se produit deux éclipses solaires chaque année, mais elles ne sont pas toujours totales.

En raison de sa relative proximité, les astronomes prévoient que nous pourrons aller bientôt sur la Lune. Ils sont déjà en mesure de nous décrire assez complètement ce voyage.

Comme la Lune est dépourvue d'atmosphère, le visiteur venu de la Terre devra être équipé d'un vêtement spatial et d'une provision d'oxygène pour pouvoir respirer.

Cette absence d'atmosphère entraîne aussi une absence totale de vent à la surface de notre satellite; le vent, en effet, n'est autre chose que de l'air en mouvement. Partout où il marchera, le visiteur laissera la marque de ses pas dans la poussière qui recouvre la Lune: aucun souffle ne les effacera. S'il appelle ses coéquipiers, ils ne l'entendront pas, faute d'air pour véhiculer les ondes sonores de sa voix; sans ondes sonores, il n'y a pas de son.

S'il lève les yeux, il verra, même en plein jour, un ciel tout noir. En abritant ses yeux des rayons du soleil, il verra les étoiles briller d'un très vif éclat et, au loin, la masse lumineuse de notre Terre.

Aucune érosion n'a jamais usé le relief lunaire.

La Lune est beaucoup plus petite que la Terre et sa gravité n'est que le sixième de celle de notre planète. C'est ainsi qu'un homme pesant 83 kg (180 lb) sur la Terre, ne pèserait que 14 kg (30 lb) sur la Lune. Bien entendu, la fusée qui le transporterait et son équipement, comme tout ce qui se trouverait sur notre satellite, seraient allégés dans la même proportion.

Rien ne pousse sur la Lune, ni arbres, ni herbe, ni fleurs, ni plantes. Rien ne change non plus. Rochers, cailloux et poussière recouvrent sa surface, sauf sur les montagnes les plus abruptes. Pas de rivières, pas de sources, pas une goutte d'eau. Sans air ni eau, pas d'érosion; c'est pourquoi les montagnes lunaires ne portent aucun signe d'usure.

En escaladant un de leurs sommets, le Terrien dé-

A la pleine Lune, on distingue les parties claires et les parties sombres.

OBSERVATOIRE LICK

OBSERVATOIRES DES MONTS WILSON ET PALOMAR

Surface corrodée de la Lune dans la région de son pôle Sud

couvrira encore d'autres montagnes et des gorges profondes serpentant en tous sens.

Lorsque nous observons la Lune dans des conditions idéales, nous pouvons distinguer ses montagnes qui sont claires, et ses plaines qui sont sombres. Les plaines sont des étendues recouvertes de roches et de poussière auxquelles on a donné le nom de mers parce que les anciens astronomes de l'Antiquité les avaient prises pour des étendues d'eau.

Les deux tiers environ de la face visible de la Lune sont constitués par des régions montagneuses. Une de leurs caractéristiques les plus frappantes est la présence de cirques naturels entourés de hautes montagnes. Certains astronomes pensent que la Lune a pu subir, à une lointaine époque, un bombardement de météorites, roches de dimensions très variables qui traversent l'espace à des vitesses fantastiques. En heurtant le sol lunaire, elles auraient provoqué de terribles explosions qui auraient formé ces cratères. D'autres astronomes soutiennent, pour leur part, que, dans des temps très reculés, la Lune était formée d'une mince croûte enveloppant un noyau intérieur en ébullition. Cette matière en fusion crevait parfois la croûte, se répandait autour des trous d'éruption et se solidifiait pour former les parois des cirques.

Pendant la journée, le Soleil élève la température de la surface de la Lune qui n'est protégée par aucune atmosphère, jusqu'au-delà du point d'ébullition de l'eau. Si les explorateurs venus de la Terre ne disposaient pas d'un système de refroidissement pour leur réserve d'eau, celle-ci s'évaporerait probablement. Par contre, quand vient la longue nuit lunaire, la température baisse rapidement. Elle descend au-dessous du point de congélation dès le coucher du soleil et atteint –151 °C (–240 °F). Il faudrait donc que les Terriens puissent aussi réchauffer leur eau pendant la nuit pour empêcher qu'elle ne gèle.

Lorsque l'homme atteindra la Lune, il aura appris non seulement à échapper à l'attraction terrestre, mais aussi à voyager avec précision et en toute sécurité à travers l'espace, et à revenir sur la Terre à volonté. La Lune elle-même pourrait alors servir de station spatiale pour les fusées interplanétaires, exactement comme les aéroports pour les avions d'aujourd'hui. Du sol lunaire, les astronomes verraient beaucoup plus nettement les autres planètes et feraient progresser plus rapidement leurs recherches. On rêve déjà du jour où les hommes pourront décoller de la Lune pour s'aventurer plus loin encore dans l'espace, mais actuellement, le problème le plus important est d'aller à la Lune et d'en revenir.

LE SOLEIL

Les étoiles sont constituées par des gaz portés à des températures si élevées qu'elles émettent leur propre lumière, au lieu, comme la Lune, d'en réfléchir une. Le ciel est constellé de milliers d'étoiles visibles à l'œil nu. Des millions d'autres sont visibles avec des télescopes. Chaque étoile est un soleil.

L'étoile la plus proche de nous est notre propre Soleil. La Terre tourne autour de lui, en même temps que huit autres globes. Ceux-ci et la Terre s'appellent des planètes (d'un mot grec signifiant errer). Les planètes, le Soleil et divers autres corps célestes, constituent ensemble notre système solaire. Sans le Soleil, la vie serait impossible: il est pour nous la source de la chaleur, de la lumière et de l'énergie indispensables à la vie.

Le Soleil n'est pourtant qu'une étoile de moyenne grandeur. Si elle nous paraît beaucoup plus éclatante que n'importe quel autre corps céleste, c'est qu'elle est la plus proche de la Terre. Après le Soleil, l'étoile la plus proche est 300 000 fois plus loin de nous que le Soleil. La lumière solaire atteint la Terre en quelque 8 minutes, tandis que par exemple, celle de Rigel, l'une des étoiles les plus brillantes, met 540 ans à nous parvenir. Autrement dit, les rayons que nous recevons d'elle ce soir ont dû la quitter avant la découverte du Nouveau Monde par Christophe Colomb. Il existe d'autres groupes d'étoiles dont la lumière a mis des millions d'années à nous parvenir.

Environ 1/2 000 000 000 seulement de la lumière

totale du Soleil atteint notre Terre. Le reste est perdu dans l'espace. Cette énergie est pourtant suffisante pour permettre la vie. A notre connaissance, la Terre est la seule planète du système solaire offrant la température, l'atmosphère et les autres conditions nécessaires à la vie d'êtres humains comme nous.

Le Soleil est plus d'un million de fois plus gros que la Terre, et il pèse 330 000 fois plus. Son diamètre est de 1 390 000 km (865 000 milles), soit environ 109 fois celui de la Terre. En raison de son énorme masse, sa force d'attraction est beaucoup plus grande que celle des corps tournant autour de lui. Dans son propre mouvement à travers l'espace, il entraîne tout notre système solaire.

Le Soleil est une gigantesque sphère formée de gaz à très haute température, principalement de l'hydrogène et de l'hélium, et aussi de fer et d'autres métaux maintenus à l'état gazeux sous l'action d'une formidable chaleur. Si nous regardons le Soleil de midi avec des verres fumés, il nous apparaît comme un disque brillant et plat, mais les astronomes qui l'observent avec leurs télescopes équipés d'oculaires spéciaux pour protéger les yeux, voient un globe en fusion, enveloppé de nuages de gaz et de vapeurs enflammées. Le paisible disque aperçu derrière les verres fumés est en réalité le siège de tempêtes auprès desquelles les pires ouragans terrestres ne sont qu'une brise légère.

Les nuages et les gaz superficiels constituent l'atmosphère du Soleil, mais sa lumière vient d'une couche inférieure et plus chaude, la photosphère (littéralement, la sphère qui engendre la lumière), dont l'épaisseur se chiffre en centaines, voire en milliers de kilomètres et

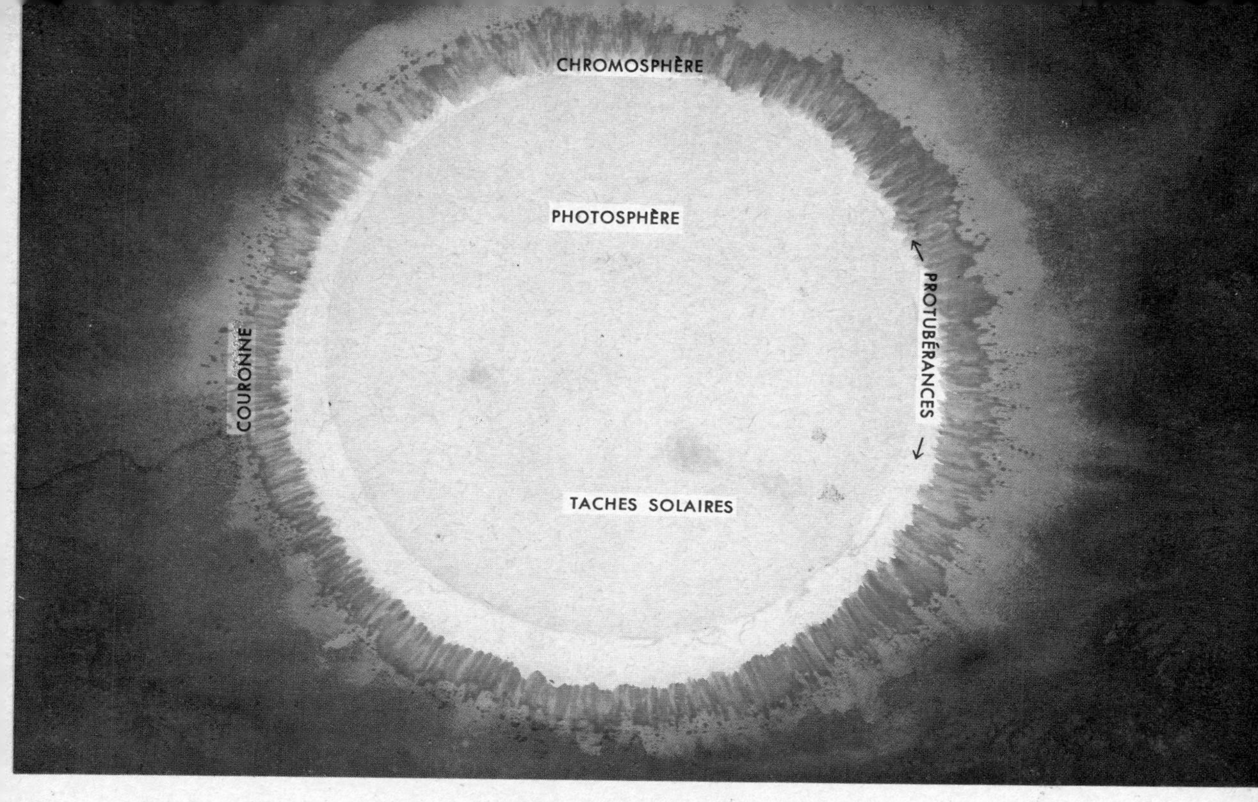

Les différentes parties du Soleil

dont la température dépasse, en surface, 5 537 °C (10 000 °F)

La lumière émise par la photosphère se fraie un chemin à travers les couches gazeuses successives qui l'enveloppent et qui peuvent mesurer des milliers de kilomètres d'épaisseur.

C'est la photosphère qui forme ce fond blanc sur lequel les astronomes voient se détacher les autres parties visibles du Soleil. Dans la région centrale, ce sont notamment des taches, soit rondes, soit de forme irrégulière comme des taches d'encre, qui vont par paires ou par groupes. Ces taches solaires sont en fait d'énormes tourbillons provoqués par des tempêtes magnétiques. Elles se déplacent, disparaissant à l'ouest et apparaissant à l'est. On a remarqué que les taches solaires atteignaient un nombre maximum tous les onze ans, et passaient par un minimum au milieu de cette période. Il peut arriver que des semaines se passent sans que l'on puisse observer la moindre tache. A d'autres moments, par contre, on en comptera jusqu'à trois cents en même temps. La durée de ces taches varie de quelques heures à dix-huit mois; la moyenne se situe entre trente et soixante jours.

C'est en suivant la dérive apparente des taches sur la photosphère que les astronomes ont découvert comment tournait le Soleil: sur son axe, comme la Terre, mais alors que la Terre tourne d'une seule pièce, comme une boule solide, le Soleil se comporte d'une façon curieuse: il tourne plus vite au niveau de l'équateur (une rotation en 25 jours) qu'aux alentours des pôles (34 jours).

On a souvent incriminé les taches du Soleil, auxquelles on a presque tout attribué, depuis le mauvais temps jusqu'aux guerres mondiales. En fait, personne ne sait exactement comment elles agissent sur nous. Ce que nous savons, c'est qu'elles sont fortement magnétiques. Lorsqu'elles sont nombreuses, des tempêtes magnétiques se produisent dans l'atmosphère terrestre, qui se traduisent par des lignes brisées sur les écrans de télévision, des parasites dans les récepteurs de radio et des aurores boréales dans le ciel.

Outre les taches solaires, on remarque souvent de gros points ou des traînées encore plus lumineuses que la photosphère sur laquelle ils se détachent. Il s'agit de

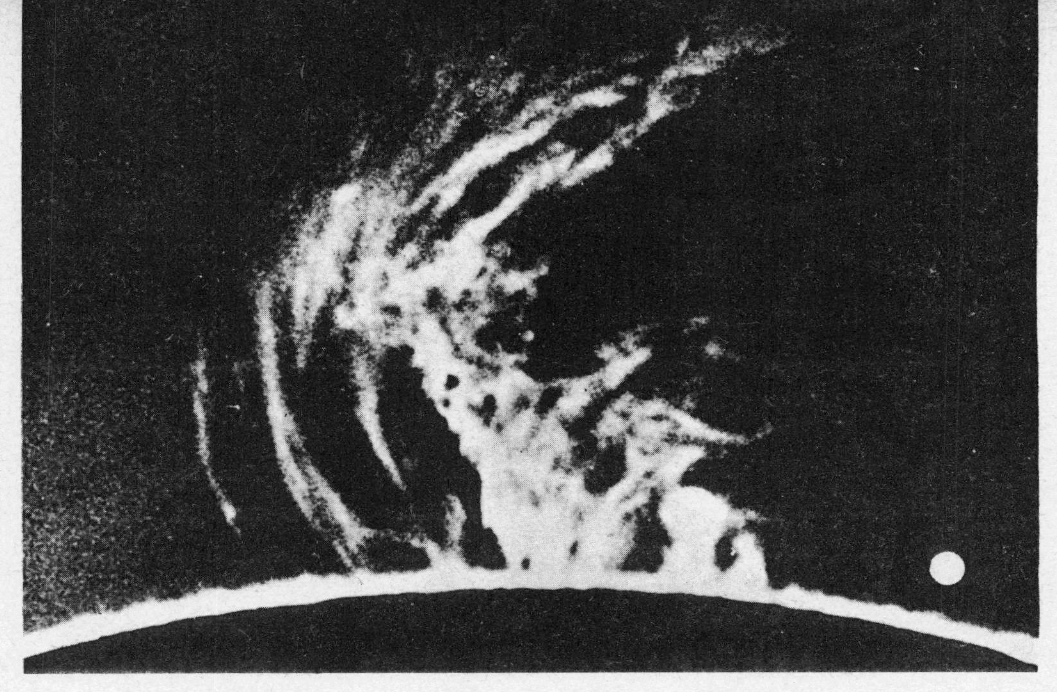

OBSERVATOIRES DES MONTS WILSON ET PALOMAR

Une protubérance solaire haute de 224 000 km (140 000 milles)

ce qu'on appelle des facules. Elles apparaissent généralement juste avant la formation d'une tache.

S'il était possible de placer un écran devant la photosphère pour en masquer la lumière éblouissante, nous pourrions distinguer d'autres éléments à la périphérie du Soleil. La Lune joue justement ce rôle, pendant les éclipses de Soleil. Elle nous permet alors d'observer la chromosphère, mince couronne rouge sang, autour du Soleil masqué par le disque noir de la Lune. De cette couronne jaillissent, comme des flammes, des langues de gaz incandescents: les protubérances solaires, qui peuvent atteindre des milliers de kilomètres de hauteur.

Quand une éclipse totale de Soleil est annoncée, les astronomes espèrent que le beau temps leur permettra d'observer l'un des plus beaux spectacles du ciel: la couronne du Soleil, avec son éclat blanc de perle. Cette extraordinaire enveloppe de gaz, auréolant le rouge vif de la chromosphère, ne reste malheureusement visible que quelques minutes au maximum.

Généralement, la lumière émise par les matières gazeuses incandescentes du Soleil et des étoiles, nous paraît blanche. Toutefois, les astronomes ont pu analyser cette lumière avec le spectroscope. Cet instrument, qui fonctionne sur le principe du prisme, décompose la lumière blanche en un arc-en-ciel de couleurs allant du rouge au violet: le spectre lumineux. Chaque élément chimique, simple ou composé, possède son propre spectre, qui varie par la disposition des bandes de couleur. Cela permet aux astronomes d'étudier la lumière du Soleil ou des étoiles et d'y découvrir ainsi la nature des corps qui les composent.

L'âge d'une étoile se calcule d'après les proportions d'hydrogène et d'hélium qu'elle renferme. Une étoile très jeune, par exemple, sera très riche en hydrogène; une très vieille, par contre, en possédera très peu mais aura une très forte teneur en hélium. Notre Soleil est une étoile jeune: il lui reste encore plus de 90 % de son hydrogène, et son âge est estimé à 4 ou 5 milliards d'années. Les astronomes estiment qu'il a encore assez d'hydrogène pour dix et peut-être cinquante milliards d'années. On sait que le Soleil, qui fonctionne un peu comme un réacteur nucléaire, doit sa chaleur à l'hydrogène. Une fois celui-ci épuisé, le réacteur s'éteindra: notre étoile ne sera plus qu'un globe noir dans l'espace.

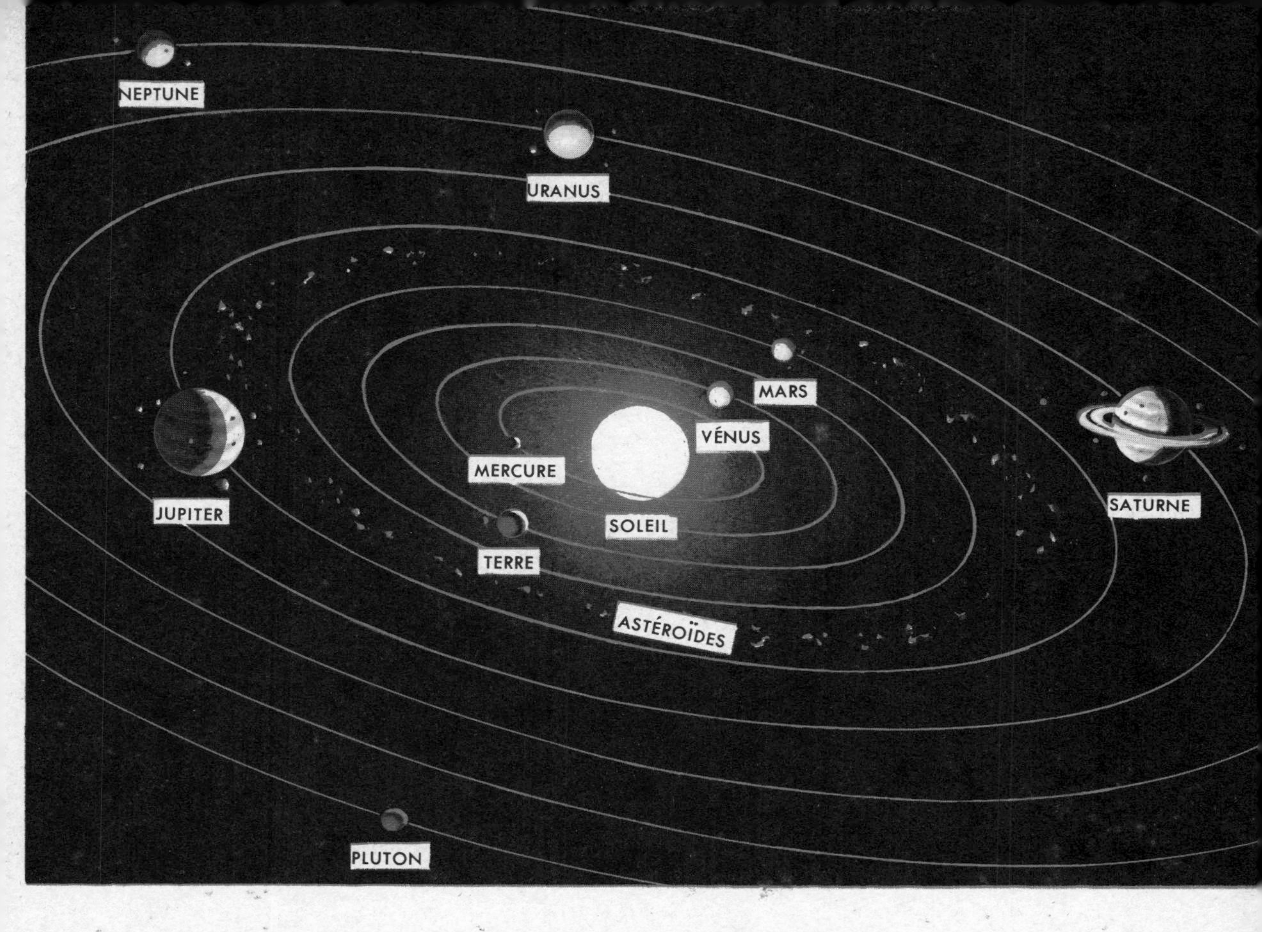

NOS VOISINES, LES PLANÈTES

Les huit autres planètes-sœurs de la Terre tournent sensiblement dans le même plan qu'elle autour du Soleil. Comme la Terre, elles en reçoivent lumière et chaleur et brillent dans le ciel en réfléchissant ses rayons. Elles se déplacent toutes dans le même sens, c'est-à-dire, pour un observateur qui serait placé au pôle Nord, en sens inverse de celui des aiguilles d'une montre.

Si elles ont certains traits communs, les neuf planètes

diffèrent cependant les unes des autres. Certaines d'entre elles, plus proches du Soleil, sont soumises à une chaleur intense; d'autres, très éloignées, sont glacées. Il y en a qui tournent rapidement; d'autres semblent presque ne pas bouger. Certaines sont plusieurs fois plus grosses que la Terre; d'autres sont plus petites. Plusieurs planètes semblent subir des ouragans et même des tempêtes de sable; d'autres sont recouvertes d'épais nuages. Autour de certaines tournent des satellites naturels, parfois nombreux; d'autres n'en ont aucun. Les pages suivantes décrivent les planètes d'après les hypothèses des astronomes. D'autre part, on trouvera aux pages 48 et 49, un tableau donnant les dimensions du système solaire et des planètes.

Mercure est la planète la plus petite et la plus rapprochée du Soleil, dont elle reçoit sept fois plus de lumière et de chaleur que la Terre. Le radiotélescope d'Arecibo, à Porto Rico, de 300 m (1 000 pieds) de diamètre, a permis de découvir que, contrairement à ce qu'on pensait, la durée de rotation de Mercure était plus rapide que celle de sa révolution autour du Soleil. Par conséquent, cette planète ne présente pas toujours la même face vers le Soleil.

Sur Mercure, un Terrien pesant 91 kg (200 lb) n'en pèserait que 25 (54 lb) puisque la pesanteur sur cette petite planète est à peine plus du quart de celle sur la Terre. Pour cette même raison, il est vraisemblable que Mercure ne retient pratiquement aucune atmosphère qui pourrait la protéger de la chaleur intense du Soleil. On a discerné quelques traînées et quelques taches confuses

Mercure passe par des phases, comme la Lune.

dans lesquelles certains astronomes voient les lambeaux d'une atmosphère très raréfiée, insuffisante pour empêcher la face éclairée de brûler sous le Soleil. La température, en effet, y atteint 371 °C (700 °F) alors que sur l'autre face, elle peut descendre à −240 °C (−400 °F), ce qui représente sans doute le record du froid dans tout le système solaire. Cependant, Mercure ne tournant pas constamment à la même vitesse, il existe entre ses faces — l'une toujours éclairée et l'autre toujours dans le noir — une étroite zone crépusculaire dans laquelle les températures sont un peu moins extrêmes.

Mercure étant située entre la Terre et le Soleil, elle passe par des phases, tout comme la Lune. Nous ne voyons jamais sa phase pleine, puisque sa face éclairée n'est tournée complètement dans notre direction que lorsqu'elle se trouve de l'autre côté du Soleil, mais au fur et à mesure que son orbite la rapproche de nous, nous la voyons sous la forme d'un croissant s'amincissant progressivement jusqu'à disparaître presque, lorsqu'elle passe entre nous et le Soleil, sa face obscure tournée dans notre direction.

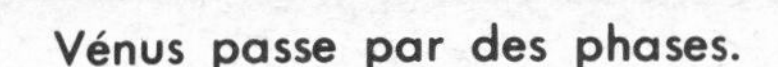

Vénus passe par des phases.

L'orbite de Vénus autour du Soleil, la plus parfaitement circulaire de toutes celles du système solaire, est située entre celle de Mercure et la nôtre. Comme Mercure, Vénus passe par différentes phases, allant de la pleine face jusqu'au croissant très mince.

Vénus est entourée d'une épaisse atmosphère jaunâtre qui réfléchit la lumière du Soleil. Sa température à la surface est assez élevée pour faire fondre du plomb et sa pression atmosphérique est 90 fois supérieure à celle de la Terre.

En décembre 1978, la station américaine *Pioneer Venus I* se mettait en orbite autour de la planète et une sonde était descendue jusqu'au sol. On installait également dans la station un radar très puissant. Ce dernier allait éclairer le sol et en dresser la carte. Pour la première fois, les astronomes allaient avoir un relevé topographique presque complet de Vénus. Le terrain de Vénus est assez plat avec cependant quatre régions de hauts plateaux dominant l'ensemble, auxquels on a donné les noms de Terre Aphrodite, Terre Ishtar, Région Alpha et Région Bêta. Terre Aphrodite compte deux chaînes montagneuses que sépare une plaine ondulée. La partie occidentale de la Terre Ishtar, assez plate, est bordée d'une chaîne montagneuse à l'ouest. A l'est, la Terre Ishtar est ceinturée par les monts Maxwell, dont l'altitude moyenne est supérieure à l'Himalaya. Sur la pente des monts, le radar a détecté une zone circulaire sombre d'un diamètre de 100 kilomètres. Il s'agirait, selon les astronomes, du cratère d'un volcan. La région Alpha est relativement basse et accidentée, striée de part en part par de longues failles parallèles. La Région Bêta compte deux volcans et est située sur une faille reliant deux régions de plateaux volcaniques.

Le sol de Vénus est piqueté, comme celui de Mars et de la Lune, de cratères, formés sans doute après la chute de météorites. L'écorce vénusienne est beaucoup plus épaisse que l'écorce terrestre.

En troisième position par rapport au Soleil vient la Terre, et ensuite, au-delà de notre orbite, Mars, délice des astronomes et des amateurs de science-fiction. Nous en connaissons plus sur cette planète que sur n'importe quel autre corps céleste, à l'exception du Soleil et de la Lune. Son atmosphère transparente et peu dense est rarement traversée par des nuages. Son orbite étant extérieure à celle de la Terre, Mars nous apparaît toujours dans sa pleine phase, ou presque.

Mars et la Terre se ressemblent à beaucoup d'égards. Elles tournent toutes deux sur leur axe à peu près au même rythme: le jour martien durant 24 heures et 37 minutes terrestres. La température de Mars n'est que légèrement inférieure à la nôtre. La pesanteur y est nettement moins forte: elle n'est que les 3/8 de celle de la Terre, c'est-à-dire qu'un homme pesant 91 kg (200 lb) ne pèserait que 34 kg (75 lb) sur Mars. On appelle très souvent Mars «la planète rouge» en raison de l'apparente coloration rouge brique qui la caractérise.

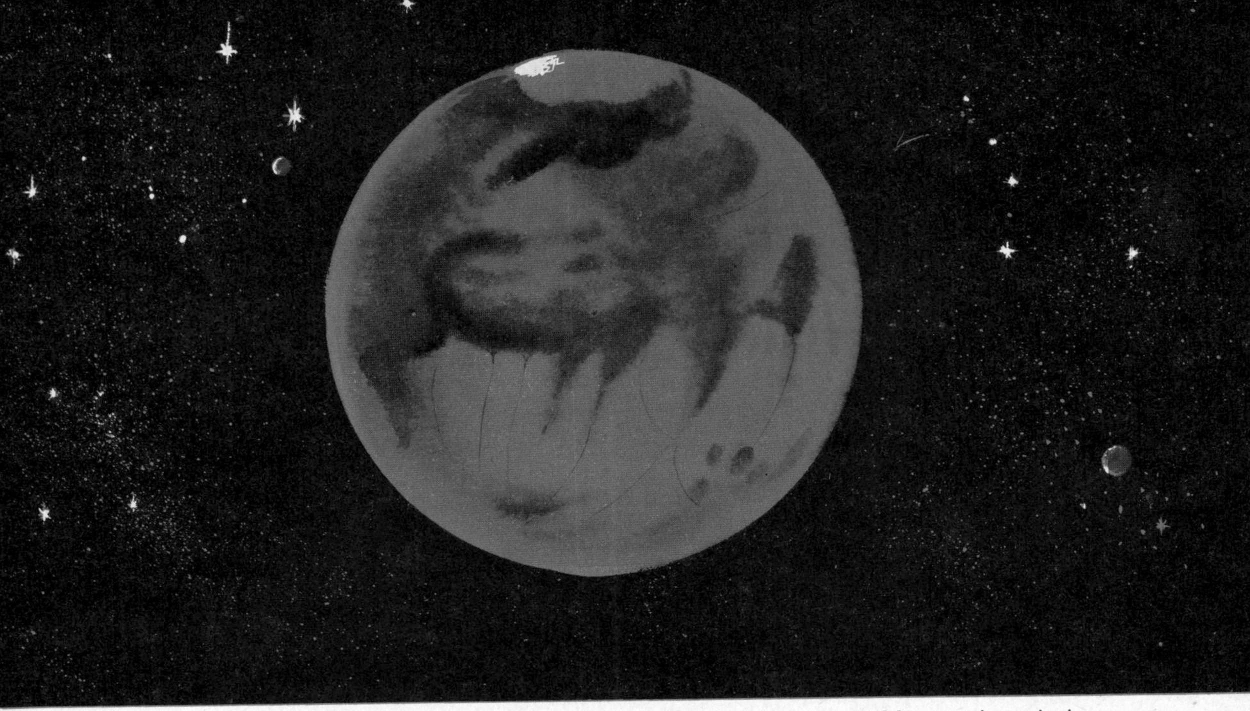

On distingue, en haut à gauche, la calotte polaire de Mars, qui a plusieurs centaines de mètres d'épaisseur.

Pendant très longtemps, Mars a fait l'objet de grands espoirs chez les astronomes. Ils avaient, en effet, observé au télescope la présence à la surface de la planète de zones sombres qui viraient au vert pendant l'hiver, au bleuté dès le début de l'été, puis au brun et au marron. Ils en avaient conclu que des lichens et des végétaux primitifs y poussaient.

Il y a bien des années, l'astronome italien Giovanni Schiaparelli, observant Mars au télescope, y découvrit des lignes droites qu'il appela *Canali*, c'est-à-dire canaux, et l'on en vint à se demander si ces canaux n'étaient pas l'œuvre d'êtres vivants. Les interprétations concernant l'origine de ces canaux sont toutes plus fantaisistes les unes que les autres. Le grand mythe des martiens atteint son apogée en 1894, lorsque Percival Lowell émit l'idée qu'il s'agissait de canaux d'irrigation destinés à combattre la sécheresse en drainant l'eau de fonte des glaciers polaires. Cependant, des observations ultérieures prouvèrent que ces lignes sont en réalité des traînées résultant de la juxtaposition de taches.

L'exploration de Mars commença en 1962 lorsque l'U.R.S.S. lança la première sonde en direction de la planète. En 1976, *Viking I* et *Viking II*, deux sondes américaines, se posaient sur Mars. Elles prirent des nombreuses photographies qui permirent d'enrichir considérablement nos connaissances sur Mars. L'atmosphère de Mars se compose de 95 pour cent de gaz carbonique, d'un peu d'azote, d'argon, d'oxygène et de très peu d'eau. La pression à la surface de Mars est à peine 2 pour cent de la pression atmosphérique terrestre; l'eau ne peut pas exister sous forme liquide à une telle pression.

On distingue quatre sortes de terrains à la surface de Mars. Les régions creusées de cratères recouvrent la plus grande superficie. Deux dunes de sable ont été observées dans les bassins de certains cratères, ce qui indique que sur Mars l'érosion est incessante. On relève aussi la présence de terrains volcaniques et de plusieurs volcans gigantesques, dont le plus grand est Olympus Mons, qui s'élève à 25 kilomètres de haut. Il existe des régions en terrasses et enfin des plateaux traversés de failles et de canyons, ces derniers étant beaucoup plus larges que certaines formations terrestres du même type.

Deux petits satellites naturels traversent le ciel de Mars.

Ils ont été baptisés par Asaph Hall, leur découvreur, du nom des deux fils de Mars, dieu de la guerre. Le plus petit est Deimos. Il fait le tour de Mars en 30 heures et 18 minutes. L'autre, Phobos, tourne en sens inverse et accomplit sa révolution en 7 heures et 30 minutes seulement.

C'est tous les deux ans et demi que la Terre et Mars se trouvent le plus près l'une de l'autre, et en droite ligne par rapport au Soleil. La distance qui nous sépare n'est alors que de 56 000 000 de km (35 000 000 de milles) environ, ce qui permet de penser qu'un jour une fusée pourra effectuer le voyage.

Au-delà de Mars, par rapport au Soleil, se trouvent les astéroïdes ou petites planètes, qui suivent des orbites dispersées dans l'espace, généralement situées entre celles de Mars et de Jupiter. Toutefois, certains s'approchent du Soleil autant que Mercure et d'autres s'en éloignent autant que Saturne, mais ils tournent tous autour du Soleil dans le même sens que les neuf planètes. La grosseur de ces astéroïdes varie du quart du volume de la Lune, à celui d'un grand rocher. On en a répertorié plusieurs milliers depuis la découverte du premier, en 1801.

Les astéroïdes ont des formes irrégulières et des surfaces bosselées aux arêtes vives. Ils réfléchissent donc la lumière sous de nombreux angles et avec des variations d'éclat. C'est pourquoi leur luminosité semble changer en quelques heures. On ignore leur origine. S'agit-il des débris de deux petites planètes entrées en collision ou de ceux d'une grosse planète après sa formation? Les

Des photographies de Jupiter prises par les vaisseaux spatiaux Voyagers révélèrent que la Tache Rouge (en haut, à droite) est une tempête gigantesque.

astronomes étudient encore ce problème et celui de l'origine des planètes elles-mêmes.

Plus loin dans l'espace, il y a les grosses planètes, Jupiter, Saturne, Uranus et Neptune, et encore plus loin, Pluton, la dernière qui ait été découverte.

Jupiter, qui porte le nom du roi des dieux de l'Antiquité romaine, domine toutes les autres planètes du système solaire par sa masse et ses dimensions. En effet, sa masse est supérieure au total de celles des huit autres planètes. Quant à sa force d'attraction, elle est énorme: un homme qui pèse 91 kg (200 lb) sur la Terre, pèserait 240 kg (530 lb) sur Jupiter.

Jupiter est une planète froide dont l'atmosphère se compose surtout d'hydrogène et d'hélium — deux corps gazeux très légers en abondance dans l'Univers. En dépit de sa taille, sa vitesse de rotation sur son axe est très élevée: un tour en moins de 10 heures. C'est la raison pour laquelle on observe de grandes bandes colorées autour de son équateur. Au-dessous de la couche nuageuse se trouve un énorme noyau de faible densité, formé d'hydrogène solide.

Le 5 mars et le 9 juillet 1979 deux vaisseaux spatiaux Voyagers passèrent à proximité de Jupiter. Il envoyèrent à la Terre des renseignements précieux et près de 20 000 photographies. Ces dernières révélèrent que l'atmosphère de Jupiter est très agitée et non pas immobile, comme on l'avait cru jusque-là. Les astronomes conclurent que la célèbre Tache Rouge, qui, depuis 3 siècles gardait son mystère, est en réalité une immense tempête de forme ovale autour de laquelle dansent de plus petites taches.

La face cachée de Jupiter est aussi en mouvement. Dans l'obscurité, les appareils photographiques des Voyagers captèrent des couches brillantes d'aurores boréales et des éclairs gigantesques dans les nuages.

Les photos des lunes de Jupiter furent encore plus surprenantes, surtout celles des quatres lunes galiléennes: Io, Europa, Ganymède et Callisto. Io d'un rouge-orange tacheté a plus de cent volcans dont sept étaient en éruption au moment du passage des Voyagers. Europa présente un entrecroisement de longues lignes noires, qui sont peut-être des crevasses comblées ayant existé dans un sol glacé.

La sonde spatiale *Voyager I* a révélé que Saturne comptait plus d'une centaine d'anneaux.

Ganymède ressemble un peu à notre Lune, avec des régions claires et sombres et des cratères. Elle est très légère et se compose de glace et de roches. Callisto est brunâtre et sa surface est piquetée de cratères provenant peut-être d'une chute intense de météorites.

Saturne se situe juste après Jupiter, tant par sa position par rapport au Soleil que par ses dimensions. Cette grande planète tourne tellement vite sur elle-même (un tour en 10 heures 39,9 minutes) que, comme Jupiter, elle est bombée à l'équateur et aplatie aux pôles. Par contre, son mouvement autour du Soleil est lent: elle met 29 de nos années à en faire le tour.

Planète géante, Saturne est la merveille du système solaire. Presque uniquement formée d'atmosphère, c'est une immense boule d'hydrogène et d'hélium avec des traces d'ammoniac. De très nombreuses lunes gravitent autour de l'astre mais, ce qui la caractérise, ce sont ses anneaux lumineux et plats, se composant de minuscules particules de glace.

Jusqu'en 1979, Saturne n'avait été observé qu'à l'aide de télescopes. Cette année-là, le vaisseau spatial *Pioneer Saturn* passa aux abords de la planète et prit d'elle quelques photos en gros plan révélant l'existence d'une nouvelle lune et de trois anneaux supplémentaires (portant à 6 le nombre total des anneaux).

Un an plus tard, le 12 novembre 1980, le vaisseau spatial *Voyager I* arriva à proximité de Saturne. Les clichés que prit *Voyager I* ont permis d'élucider certains mystères qui entourent encore Saturne.

L'atmosphère de Saturne est cachée par un épais nuage de cristaux solides d'ammoniac gravitant à haute altitude. Les caméras de *Voyager I* réussirent à percer cette brume et photographièrent les tourbillons. Elles renvoyèrent également l'image d'une tache rouge et ovale, plus petite que celle de Jupiter.

Les anneaux, qui sont apparemment uniformes, se composent en fait de petits anneaux minces, séparés par d'infimes espaces. Les caméras indiquèrent que Saturne ne comptait pas 6, mais plus d'une centaine d'anneaux.

Les astronomes pensent qu'au moins quinze lunes gravitent autour de Saturne et que toutes, à l'exception d'une, sont placées à l'extérieur des anneaux.

Jusqu'au XVIIIe siècle, Saturne était la plus lointaine et la plus lente des planètes connues.

Uranus pèse 15 fois plus que la Terre.

Aujourd'hui, nous en connaissons trois autres, encore plus éloignées: Uranus, Neptune et Pluton.

Uranus fut observée pour la première fois en 1781, par William Herschel, musicien devenu astronome. Il la prit d'abord pour une nouvelle comète. C'est seulement par la suite qu'on s'aperçut qu'il s'agissait d'une planète, la première qu'on ne pouvait pas voir à l'œil nu. L'emploi, devenu nécessaire, du télescope ouvrait aux astronomes un champ d'exploration nouveau.

Uranus est 15 fois plus lourde que la Terre, mais ne brille que faiblement: elle est à 2 854 000 000 de km (1 783 800 000 milles) du Soleil. Le temps qu'elle met à parcourir son orbite est évidemment proportionnel à cet éloignement: son année dure 84 années terrestres. La surface de cette planète ne présente pas de repères très nets; toutefois on a pu estimer qu'elle mettait 10 3/4 h à faire un tour sur elle-même, soit des jours de 10 heures pour des années de 84 ans!

Uranus possède cinq satellites dont le diamètre varie de 320 à 1 600 km (200 à 1 000 milles).

En comparant les diverses positions d'Uranus au cours de plusieurs années, on s'aperçut qu'elles ne concordaient avec aucun horaire. Les astronomes se demandèrent alors si la planète ne subissait pas, en plus de celle du Soleil, une autre force d'attraction. Un jeune Anglais, John C. Adams, s'attaqua au problème. En 1845, il présentait au directeur de l'Observatoire royal de Grande-Bretagne, un rapport, où il lui conseillait de diriger ses recherches dans telle partie du ciel pour découvrir, au-delà d'Uranus, une nouvelle planète. Personne ne fit grande attention à son idée, mais un jeune Français, Urbain Le Verrier, travaillait aussi dans le même sens. En 1846, guidés par ses calculs, les astronomes découvrirent la planète cherchée, qui fut baptisée Neptune. C'est ainsi que le mérite de sa découverte revient à Le Verrier, alors que sa première description mathématique avait été donnée par Adams.

Neptune n'est visible qu'au télescope et on ne sait pas grand-chose sur elle. Elle est située à environ 4 800 000 000 de km (3 000 000 000 de milles) du Soleil. Le jour y dure à peine 16 heures et l'année, 165 de nos années terrestres. A notre connaissance, elle a deux satellites. L'un, Triton, est plus grand que la Lune; l'autre, Néréide, est très petit. On trouvera quelques autres chiffres au sujet de cette planète dans le tableau aux pages 48 et 49, mais il nous reste encore beaucoup à apprendre à son sujet.

En observant en détail les mouvements de Neptune, certains astronomes se demandèrent une fois de plus s'il n'y avait pas encore une autre planète dans notre système

OBSERVATOIRE LOWELL

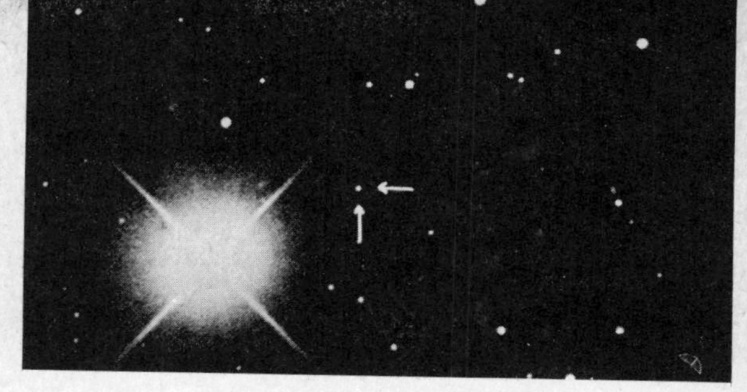

C'est en comparant des photos pour trouver un point mobile que fut découverte la planète Pluton.

solaire. Au début du XXe siècle, l'astronome britannique Percival Lowell commença ses recherches, mais ce ne fut que vingt-cinq ans plus tard, après sa mort, que ses collaborateurs trouvèrent la planète. Cette découverte n'avait été possible que grâce à l'immense patience et à l'expérience de l'équipe de l'observatoire Lowell, et particulièrement à celles de Clyde Tombaugh qui mit, en quelque sorte, le doigt dessus. Jour après jour, en effet, Tombaugh s'était astreint à étudier chacun des minuscules points lumineux qui couvraient des milliers de photographies du ciel. Ce qu'il voulait trouver, c'était un point, un seul, qui aurait changé de position entre deux photos consécutives. Il en trouva enfin un: c'était la planète tant cherchée. La nouvelle fut annoncée le 13 mars 1930, jour de l'anniversaire de Lowell, et dans le nom qui fut choisi, Pluton, les deux premières lettres sont les initiales de P. Lowell.

Pluton est à peu près quarante fois plus loin que nous du Soleil, et sa température est terriblement basse, probablement aux environs de —240 °C (—400 °F). Ses dimensions ont fait l'objet de plusieurs estimations contradictoires mais on semble aujourd'hui d'accord pour établir son diamètre à environ 2 900 km (1 812 milles) et son poids, à 1/10 de celui de la Terre.

CARACTÉRISTIQUES DES PLANÈTES DU SYSTÈME SOLAIRE

	Mercure	Vénus	Terre
Distance moyenne du Soleil en millions de km (millions de milles)	57,60 (36)	107,50 (62.2)	148,80 (93)
Durée de révolution autour du Soleil (longueur de l'année)	87,97 jours	224,7 jours	365,25 jours
Vitesse de déplacement sur orbite en km (milles) par seconde	47,70 (29.7)	35,40 (22)	29,70 (18.5)
Diamètre en km (milles)	4 720 (2 932)	12 340 (7 712)	12 750 (7 923)
Masse comparée à celle de la Terre (masse de la Terre = 1)	0,056	0,815	1
Pesanteur à la surface comparée à celle de la Terre (pesanteur sur la Terre = 1)	0,37	0,865	1
Nombre de satellites connus	0	0	1
Période de rotation (longueur du jour)	58 jours	243	23 h 56 mn
Température moyenne pendant la journée	371 °C (700 °F)	96 °C (205 °F)	21 °C (70 °F)
Vitesse de libération nécessaire à un objet pour se libérer de l'attraction de la planète et partir dans l'espace, en km (milles) par seconde	4,20 (2.61)	10,40 (6.5)	11,20 (7)

CARACTÉRISTIQUES DES PLANÈTES DU SYSTÈME SOLAIRE

Mars	Jupiter	Saturne	Uranus	Neptune	Pluton
226,70 (141.7)	773,20 (484.3)	1 417,90 (886.2)	2 852,80 (1 783)	4 472,60 (2 795.4)	6 084 (3 670)
687,0 jours	11,9 années	29,5 années	84 années	165 années	248 années
24,10 (15)	13 (8.1)	9,60 (6)	6,70 (4.2)	5,30 (3.3)	4,74 (2.95)
6 790 (4 219)	142 113 (88 305)	119 916 (74 511)	51 028 (31 707)	44 650 (27 744)	5 900 (?) (3 666)
0,107	318	95	14,5	17,2	1/2 000[e]
0,38	2,65	1,17	0,91	1,12	0,1 (?)
2	14	11	5	2	1
24 h 37 mn	9 h 50 mn	10 h 39 mn	10 h 45 mn	15 h 48 mn	6 jours 9 heures
-13 °C (8 °F)	-128 °C (-200 °F)	-151 °C (-240 °F)	?	-165 °C (-266 °F)	-240 °C (-400 °F)
4.90 (3.1)	61 (38)	37 (23)	20,90 (13)	22,50 (14)	4,80 (3)

OBSERVATOIRE YERKES

Les étoiles filantes tracent dans le ciel des traits lumineux.

ÉTOILES FILANTES ET MÉTÉORITES

Les Terriens n'ont nul besoin d'attendre le retour des premiers vaisseaux interplanétaires pour toucher de la matière spatiale. Il y en a déjà sur notre Terre: les météorites.

Il existe dans l'espace des fragments de roche ou de métal appelés aérolithes (du grec *aêr* = air, et *lithos* = pierre) et filant à des vitesses vertigineuses. Ils peuvent être impalpables comme des grains de poussière ou peser plusieurs tonnes. Certains rencontrent dans leur trajectoire l'atmosphère terrestre. Par frottement contre les molécules d'air, ils s'échauffent, tournent au rouge puis au blanc, puis fondent et disparaissent dans un trait de vapeur étincelante: ce sont les étoiles filantes. D'autres fragments, plus gros, survivent à cette épreuve et parviennent, diminués mais à l'état solide, jusqu'au sol: ce sont les météorites. L'une d'elles a creusé aux Etats-Unis, dans l'Arizona, un immense trou appelé Meteor Crater. On prétend que la météorite s'y trouve encore, incrustée dans une des parois, mais certains savants affirment que l'explosion causée par le choc fut si violente que la météorite a certainement été volatilisée.

On peut voir toutes sortes de météorites dans les musées. La plus grosse a été trouvée par l'amiral Peary au Groenland et rapportée par lui au musée d'histoire naturelle de New York: ce spécimen colossal pèse 34 tonnes.

Peut-être aussi avez-vous déjà marché sur une météorite sans le savoir. On se les imagine souvent comme d'énormes blocs, mais c'est oublier que, souvent, elles s'écrasent sur le sol et se fragmentent en innombrables petits cailloux. On classe généralement les météorites en trois groupes, suivant leur structure minéralogique:

1. Celles formées de fer et de nickel; les plus nombreuses dans les musées.
2. Celles formées de fer et de pierre.
3. Celles formées uniquement de pierre; elles ressemblent beaucoup à nos roches ordinaires.

Nous pouvons donc toucher des météorites; nous pouvons même en faire l'analyse chimique et, naturellement, leur donner des noms, mais nous ne savons toujours pas d'où elles viennent ni comment elles se sont formées.

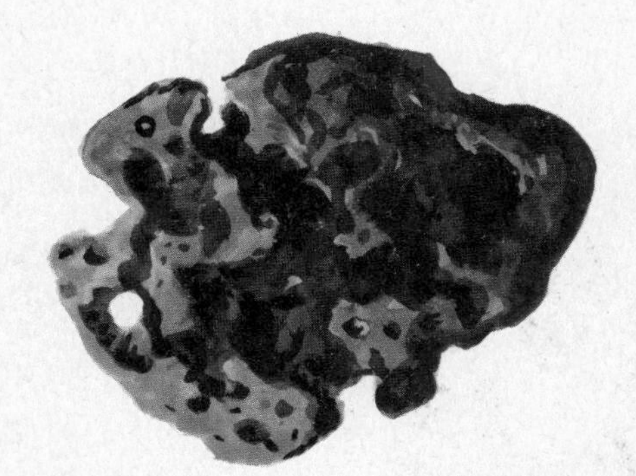

Une météorite

LES COMÈTES

Outre les neuf planètes et leurs satellites, les astéroïdes et les aérolithes, d'autres corps circulent dans le système solaire: les comètes. Elles semblent être d'énormes agglomérations de gaz gelés et de poussières tournant autour du Soleil selon des orbites ovales très allongées. En se rapprochant du Soleil, elles émettent des halos de gaz qui forment souvent derrière elles une immense queue pouvant atteindre des millions de kilomètres de longueur.

Cette queue suit la comète tant que celle-ci se dirige vers le Soleil, mais elle vient se placer progressivement devant lorsque, après avoir tourné autour du Soleil, la comète s'en éloigne de nouveau. Ce changement de direction

Pendant qu'une comète contourne le Soleil, sa queue lumineuse s'allonge dans la direction opposée à celle du Soleil.

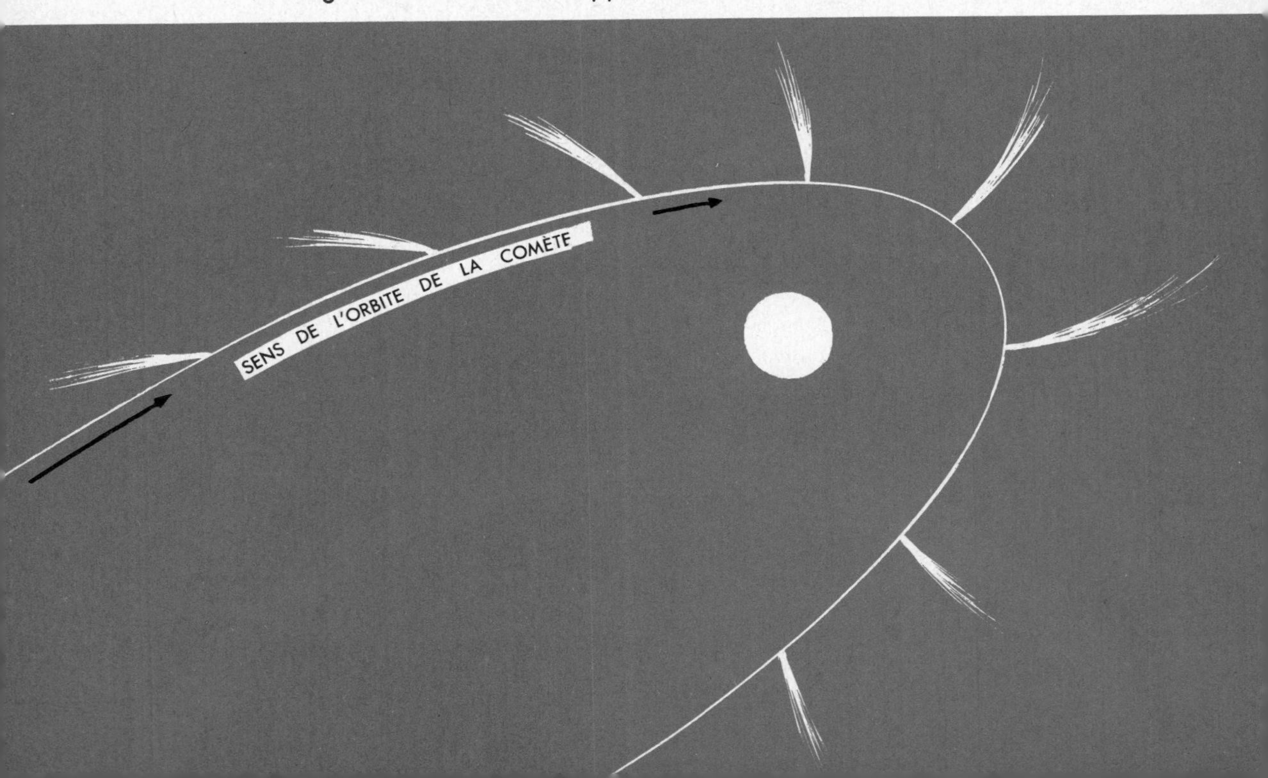

OBSERVATOIRE YERKES

est dû au fait que les rayons émanant du Soleil poussent le faisceau de gaz lumineux dans la même direction qu'eux.

Des milliers de comètes décrivent ces longues orbites autour du Soleil. Nous n'en voyons pourtant que très rarement pendant une vie d'homme. Nous connaissons la trajectoire de certaines d'entre elles, ce qui nous permet de prévoir leur retour: la comète de Halley, par exemple, revient dans notre ciel tous les 75 ou 76 ans. On pourra la revoir le 9 février 1986. L'Agence spatiale européenne a débuté la construction d'une sonde qui sera lancée en août 1985. Parmi les instruments embarqués, il y aura une caméra, un spectromètre et un magnétomètre. C'est la première fois qu'on tentera d'étudier de près une comète; on pense qu'elle contient les matériaux les plus «primitifs» du système solaire, qui n'ont pas changé depuis l'origine.

L'ESPACE ET AU-DELÀ

Le système solaire constitue notre environnement; les planètes sont nos voisines; la Lune ne nous quitte jamais et le Soleil est toujours au rendez-vous pour nous éclairer, nous chauffer.

Certes, quand on y pense, les dimensions de ces voisins et leur éloignement ne manquent pas d'être impressionnants, mais ce n'est rien si on les compare à ceux des autres étoiles du ciel: les mesures de temps et de distance deviennent alors si énormes qu'elles dépassent l'imagination.

Lorsqu'on se reporte à notre échelle, une vie d'homme paraît aussi brève qu'un clin d'œil, les siècles passent aussi vite qu'un soupir et les milliers d'années ne représentent plus que des secondes.

Pour mesurer les distances qui nous séparent des étoiles, les kilomètres (milles) n'ont plus aucun sens. Il a fallu leur substituer une nouvelle unité: l'année-lumière, distance que franchit la lumière en un an, soit 9 461 000 000 000 de km (5 913 000 000 000 de milles).

On se représente mieux ce qu'est une année-lumière en se rappelant que la lumière met environ une seconde de la Lune à la Terre; 8 minutes, du Soleil à la Terre... et plus de 4 ans pour venir d'Alpha du Centaure, l'étoile la plus proche de nous (après le Soleil).

Par une belle nuit sans nuages, le ciel est constellé d'étoiles. Pourtant, dans les meilleures conditions, ces étoiles visibles à l'œil nu ne sont à peu près que 2 500. Avec le télescope à miroir de 91 cm (36 pouces) de

Le télescope de l'observatoire Lick

l'observatoire Lick, en Californie, on peut en voir environ un million. Avec le télescope géant, à miroir de 5 m (200 pouces), du mont Palomar, en Californie également, leur nombre dépasse le milliard. En utilisant les plaques photographiques, on multiplie encore plusieurs fois ce chiffre. Ce procédé permet en effet de fixer des lumières beaucoup trop faibles pour que l'œil y soit sensible, et le nombre des étoiles détectées augmente avec la durée du temps de pose.

Les étoiles sont des soleils. Chacune d'elles n'est autre qu'une énorme boule de gaz qui, du fait de sa prodigieuse température, fait rayonner sa propre lumière et sa propre chaleur. Vues de la Terre, les étoiles scintillent, c'est-à-dire qu'elles clignotent. Pourtant le faisceau de lumière qu'elles nous envoient à travers l'espace est parfaitement uniforme. C'est seulement lorsque leurs rayons lumineux

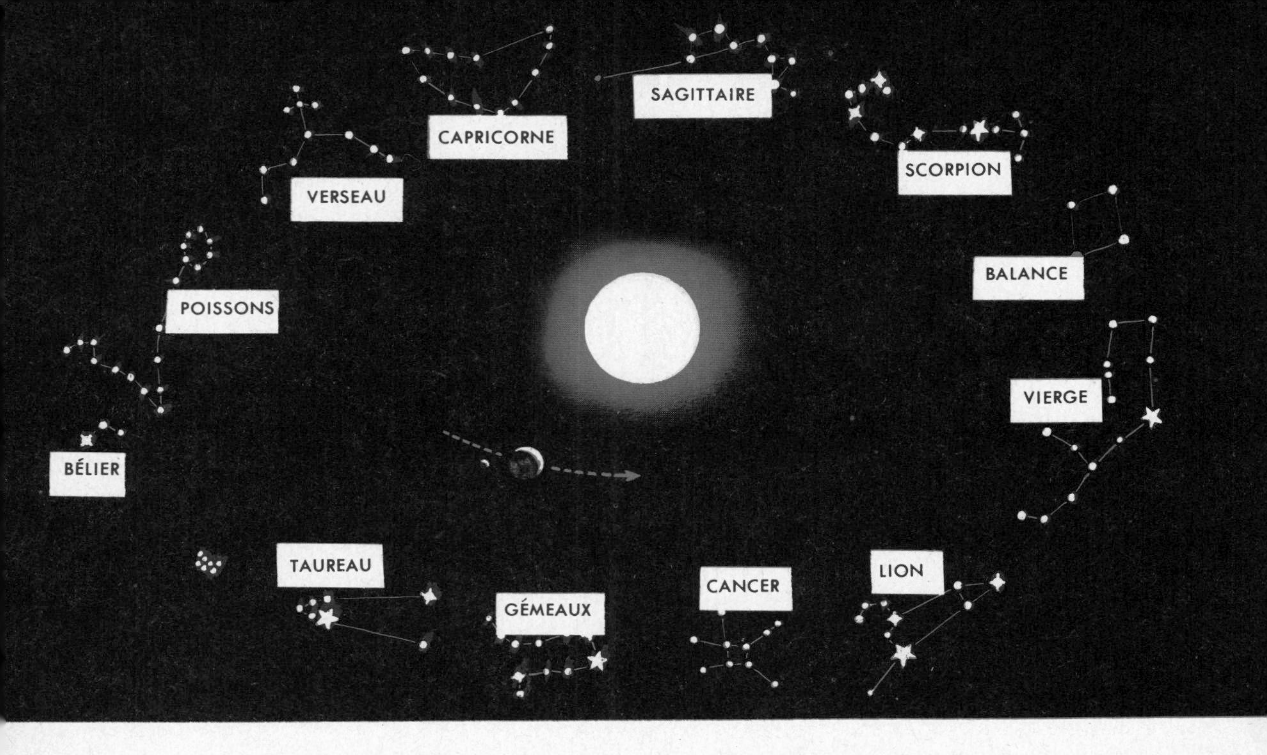

De la Terre, on voit les douze constellations du zodiaque.

atteignent l'atmosphère terrestre qu'ils sont déviés et déformés par les masses d'air chaud et froid, et donnent l'impression de varier constamment en intensité, comme le déplacement de l'air chaud au-dessus d'un poêle ou d'un radiateur.

Les astronomes de l'Antiquité avaient remarqué que le Soleil, accompagné de la Lune et des planètes, semblait suivre toujours la même route, d'année en année, à travers les étoiles. Ils donnèrent à cette route le nom de zodiaque et la divisèrent en douze parties égales affectées chacune d'un signe. Suivant cette théorie, les signes occupaient une place fixe dans le ciel et le Soleil, suivi de son cortège de Lune et de planètes, passait chaque mois de l'un à l'autre. Aujourd'hui, le zodiaque n'est plus considéré que comme une tentative des Anciens pour expliquer la mécanique céleste.

Le zodiaque subsiste quand même à l'heure actuelle dans la carte du ciel. Douze groupes d'étoiles ou constellations, désignés d'après l'objet ou l'animal que les Anciens s'imaginaient y voir, portent encore les mêmes noms: Bélier, Taureau, etc., mais le nombre total de ces constellations est aujourd'hui de 88. Pour identifier les plus

En nommant les constellations du zodiaque, les Anciens ont montré beaucoup d'imagination.

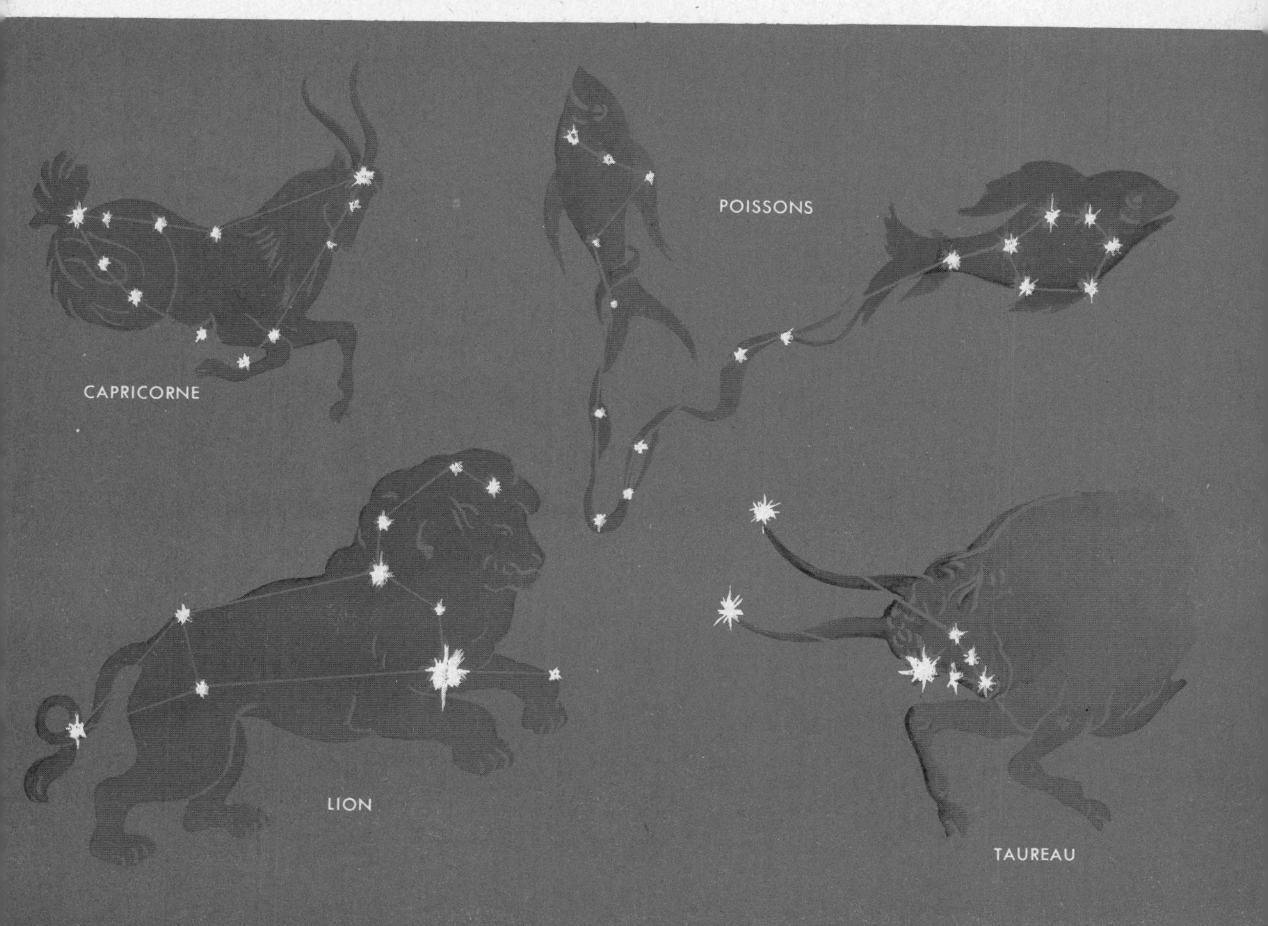

importantes, le meilleur moyen est de vous les faire indiquer, la nuit, par quelqu'un qui les connaît et qui se sert du faisceau d'une lampe de poche pour vous les désigner. Vous utiliserez aussi avec profit les cartes que nous avons réunies dans les pages suivantes.

Les principales et les plus lumineuses étoiles des constellations portent des noms: Sirius, Canopus, Arcturus, Rigel, Bételgeuse, Fomalhaut, etc., mais on les catalogue d'habitude en les désignant par les lettres de l'alphabet grec, dans l'ordre. Ainsi, l'étoile la plus brillante d'une constellation s'appelle alpha (α); la seconde, bêta (β); la troisième, gamma (γ), etc.

L'étoile Polaire est la plus brillante de toutes celles visibles dans l'hémisphère nord. Elle semble immobile mais elle décrit, en 24 heures, un tout petit cercle marquant le pôle Nord du ciel. Les autres étoiles paraissent tourner autour d'elle, leur orbite gagnant en amplitude et en vitesse dans la mesure où elles sont plus éloignées de l'axe polaire. Ce mouvement est dû à la rotation de la Terre, comme l'explique le dessin de la page suivante.

Les navigateurs se guident sur l'étoile Polaire pour s'orienter, puisqu'elle est toujours dans le direction du nord, et bien visible la nuit. Vous n'aurez aucune peine à la trouver, mais si vous ne la connaissez pas, vous la situerez plus facilement en la cherchant dans la constellation de la Petite Ourse, qui ressemble à une petite casserole: l'étoile Polaire occupe l'extrémité du "manche". On la trouve aussi dans le prolongement des deux étoiles

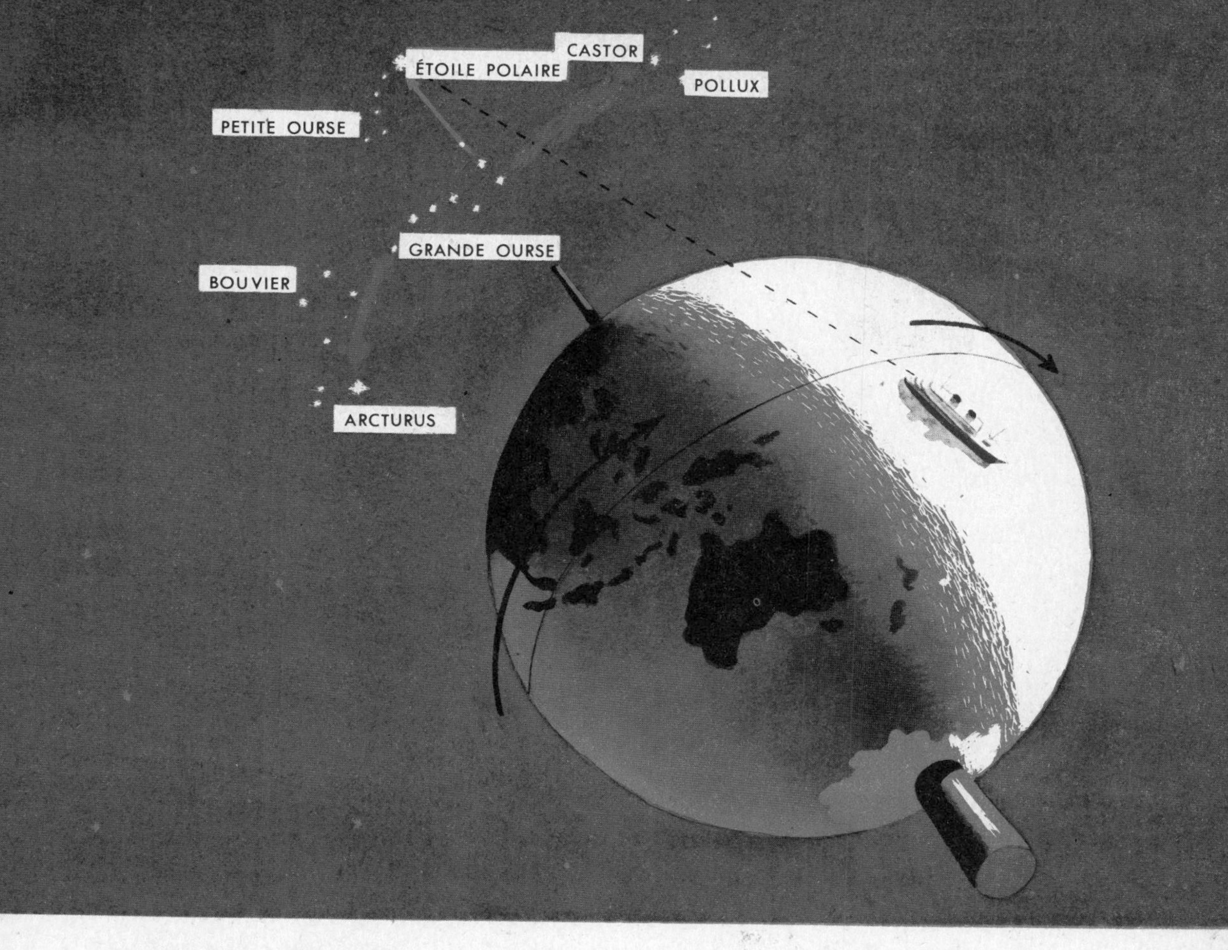

A cause de la rotation de la Terre, les étoiles semblent tourner autour de l'étoile Polaire qui est située presque au-dessus du pôle Nord.

qui forment le petit côté extérieur de la Grande Ourse. De l'autre côté de l'étoile Polaire, symétriquement à la Grande Ourse, se trouvent cinq étoiles très brillantes disposées en W; elles font partie de la constellation appelée Cassiopée.

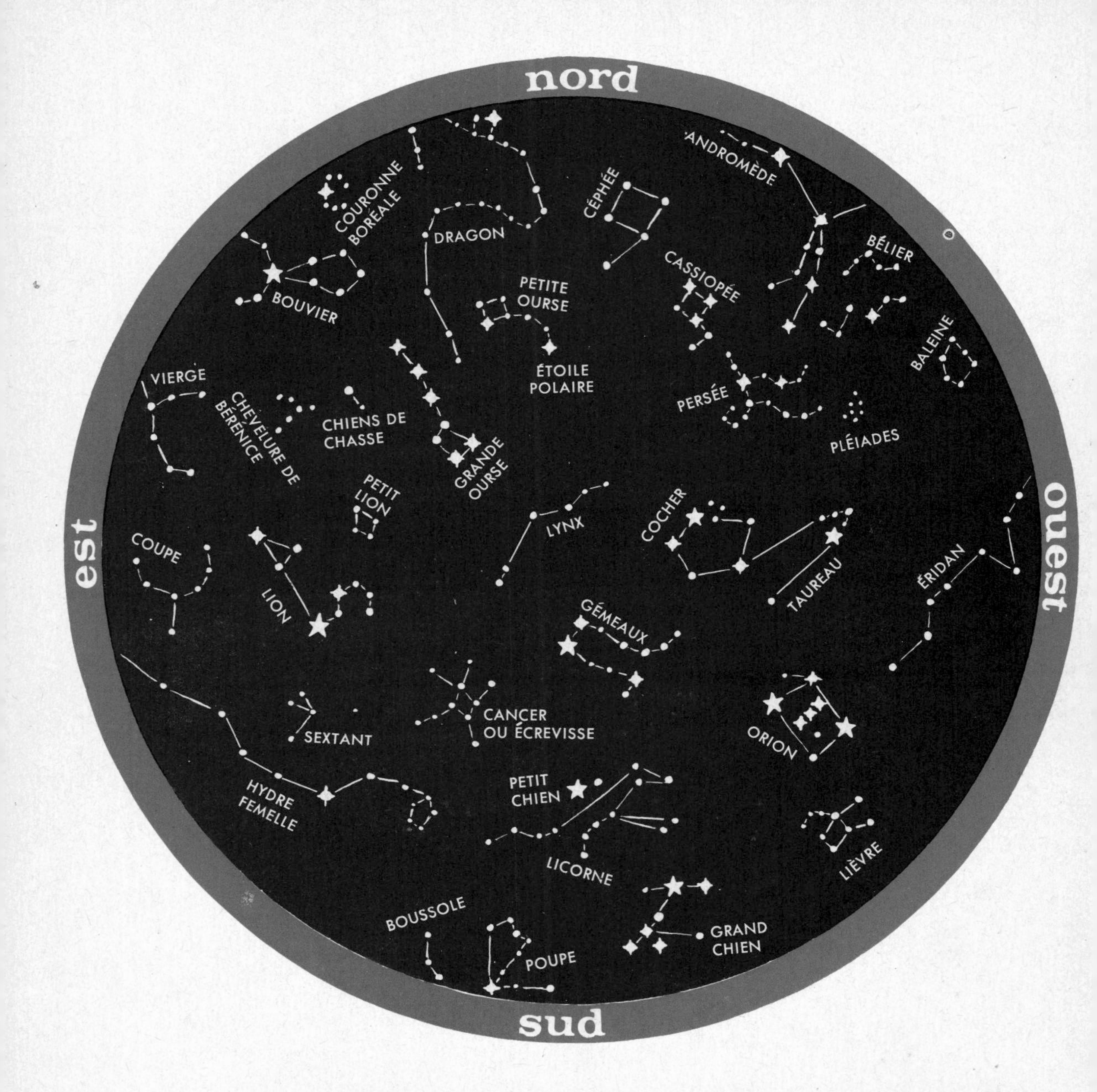

CONSTELLATIONS VISIBLES AU PRINTEMPS DANS L'HÉMISPHÈRE NORD

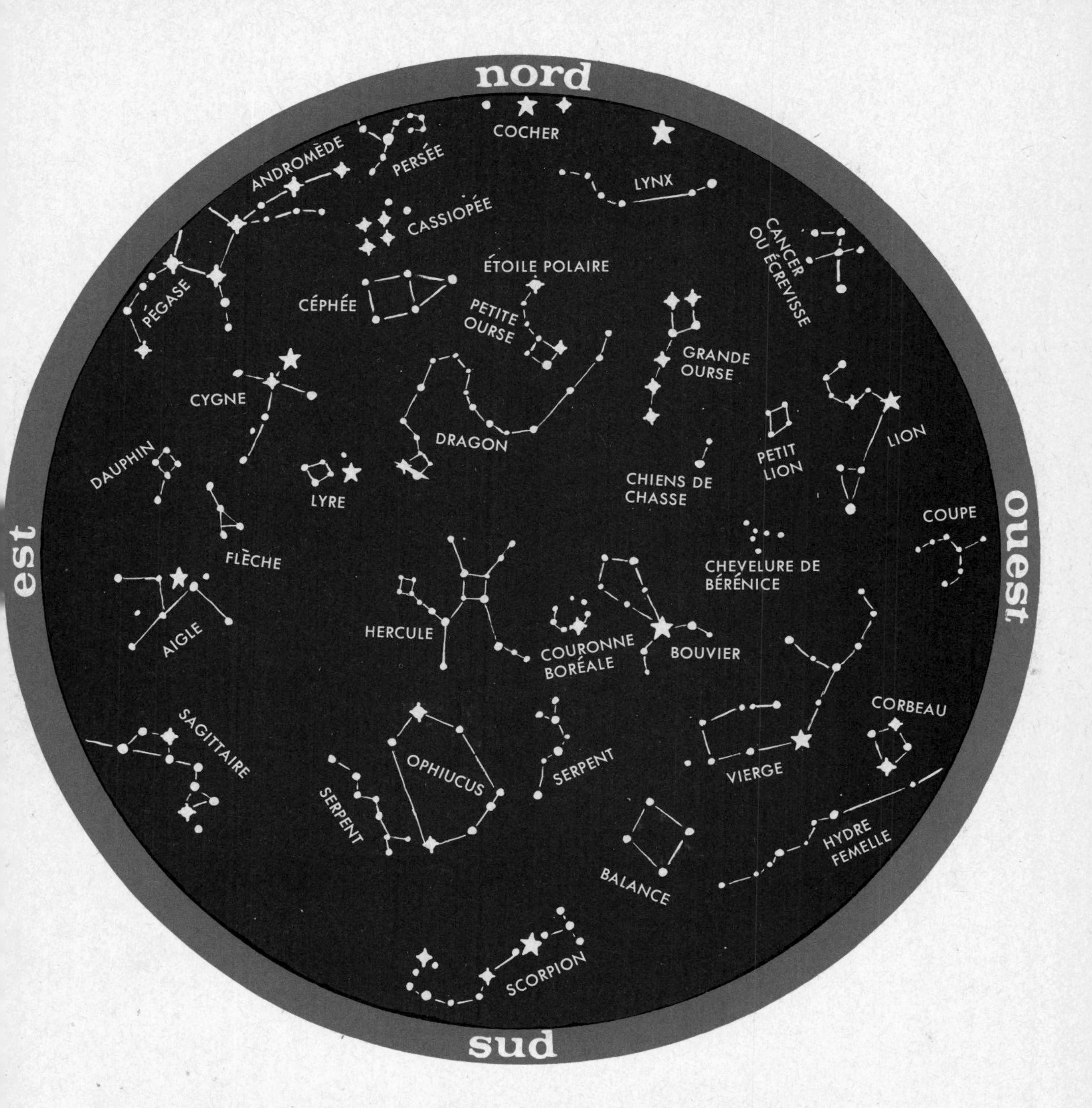

CONSTELLATIONS VISIBLES EN ÉTÉ DANS L'HÉMISPHÈRE NORD

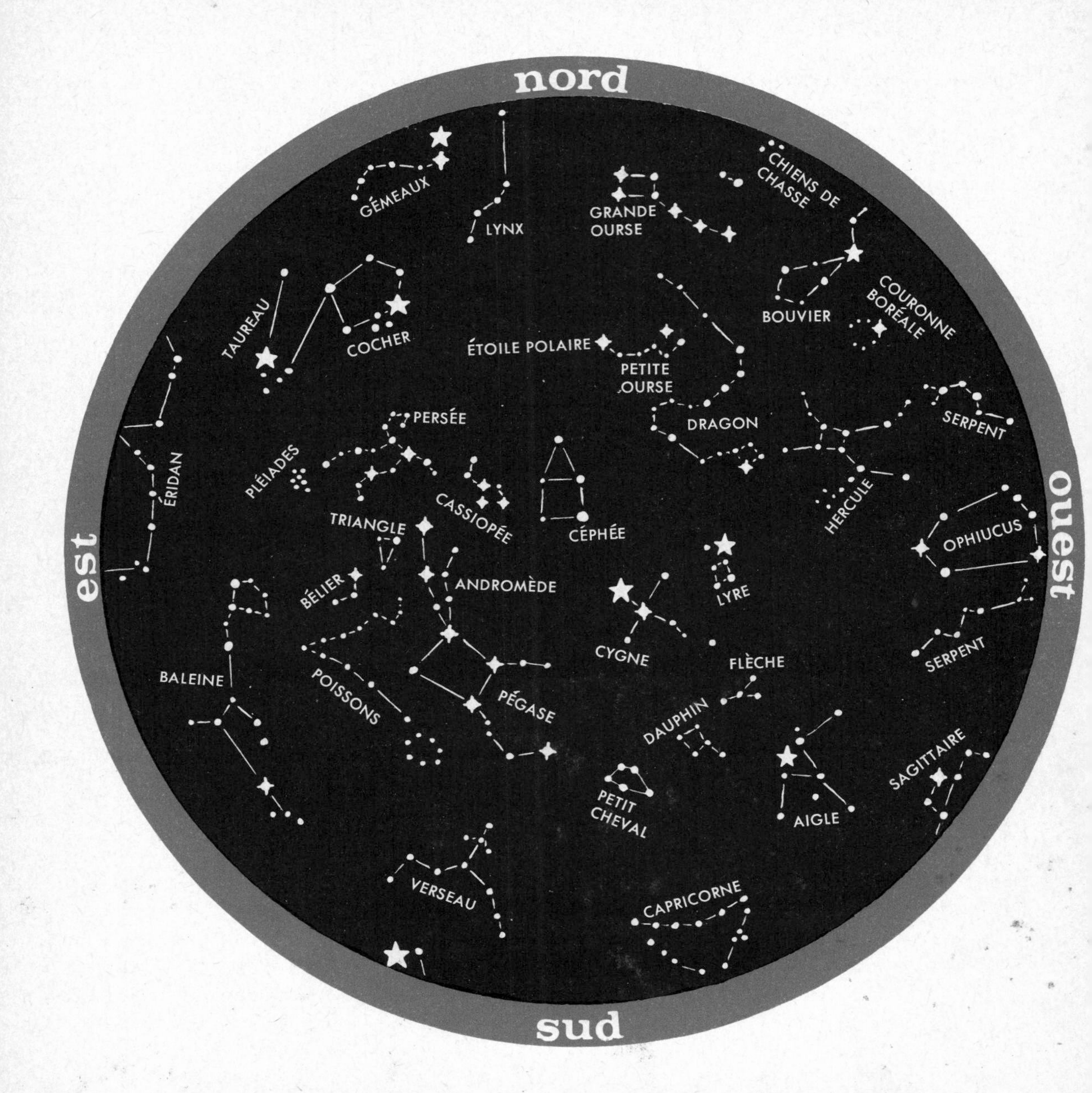

CONSTELLATIONS VISIBLES EN AUTOMNE DANS L'HÉMISPHÈRE NORD

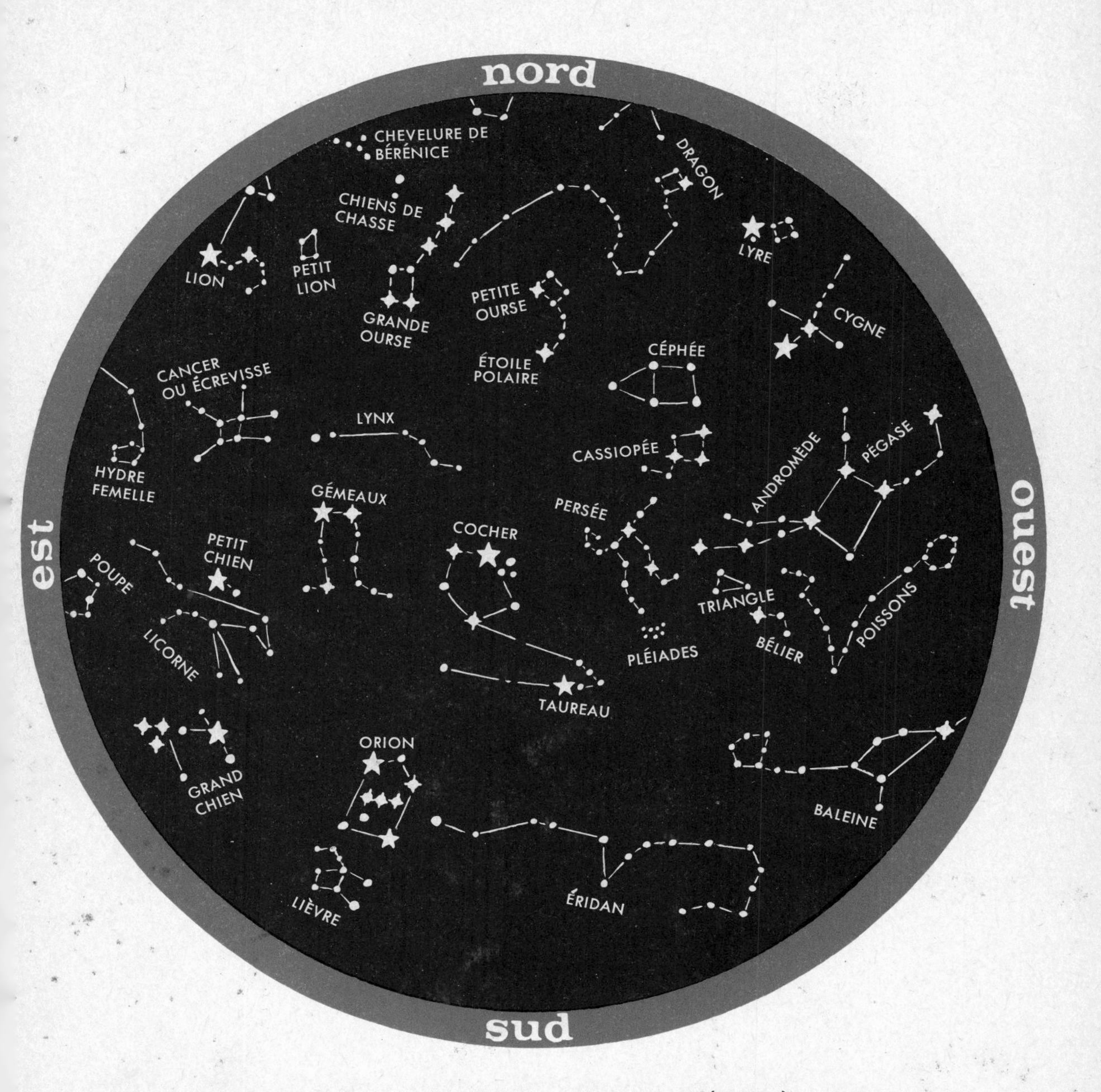

CONSTELLATIONS VISIBLES EN HIVER DANS L'HÉMISPHÈRE NORD

OBSERVATOIRES DES MONTS WILSON ET PALOMAR

La nébuleuse Tête de cheval au sud de Zêta, dans la constellation d'Orion

La moitié environ de toute la matière présente dans l'espace visible depuis la Terre, est contenue dans les étoiles. L'autre moitié est diffuse, constituée par des masses de gaz à très faible densité et de poussières flottant entre les différents systèmes solaires: ce sont les nébuleuses. Cette forme intermédiaire de la matière se révèle aux astronomes de diverses façons. Lorsqu'une grande masse de ce gaz se trouve à proximité d'une étoile très chaude, ce gaz absorbe les rayons ultraviolets émis par l'étoile et les renvoie sous forme de lumière diversement colorée que l'on peut voir et photographier. Ce phénomène, appelé fluorescence, est le même que dans les tubes d'éclairage fluorescent. Un des exemples les plus remarquables de ce genre de nuages lumineux est la grande nébuleuse d'Orion, qui doit son éclat au voisinage des quatre étoiles très chaudes formant le Trapèze.

Si la masse de gaz est loin de toute étoile assez chaude pour l'illuminer, elle absorbe la faible lumière des étoiles lointaines et forme alors une nébuleuse sombre qui cache les étoiles situées derrière elle.

La plupart des étoiles peuvent être considérées comme moyennes, tel notre Soleil, mais une sur un million, environ, atteint de 15 à 40 fois la masse du Soleil. Beaucoup plus lumineuses que lui, ce sont les supergéantes de notre ciel. En raison de leurs dimensions, elles brûlent leurs réserves d'hydrogène beaucoup plus rapidement que les étoiles ordinaires. Une fois leur combustible épuisé, elles s'effondrent sur elles-mêmes comme un tas de sable sous lequel on creuse un tunnel. La supergéante devient un astre mort, mais, pendant cette période d'extinction l'étoile se met à tourner de plus en plus vite sur elle-même en projetant autour d'elle une pluie continue de gaz incandescents. Parfois, à l'issue de ces gigantesques éruptions, le cœur lui-même de l'astre devient visible au télescope. A l'œil nu, ce phénomène apparaît comme un éclat de lumière surgissant en un point où n'existait auparavant qu'une étoile très pâle ou même aucune étoile visible.

Une superétoile peut disparaître aussi vite qu'elle est apparue. Les astronomes la désignent alors sous le nom de *nova,* c'est-à-dire étoile nouvelle. Cette appellation date d'avant l'invention du télescope, alors que la nova semblait surgir brusquement du néant. Normalement, une supergéante éteinte redevient nova plusieurs fois. Ce n'est qu'une fois complètement vidée de sa substance qu'elle se refroidit et se contracte en une petite étoile blanche.

Mais tous les six siècles environ, dans la partie du ciel que nous voyons, une supergéante se vide si brusquement et se met à tourner si vite qu'elle éclate. C'est alors une supernova. Son explosion, des millions et des millions de fois plus violente que celle d'une bombe à hydrogène, est le cataclysme le plus gigantesque qui puisse se produire dans tout l'univers.

Il existe aussi un autre genre d'étoiles: les étoiles binaires ou doubles. On croit n'en voir qu'une, alors qu'en réalité elles sont deux, très rapprochées. C'est ainsi que, dans 50 cas sur cent, ce que vous prenez pour une étoile qui scintille est un groupe de deux étoiles tournant l'une autour de l'autre. Elles peuvent même être trois, quatre ou plus encore, tout en nous apparaissant comme un seul point lumineux: ce sont les étoiles multiples. C'est le cas, notamment, de l'étoile Polaire qui, en réalité, se compose de cinq étoiles brillantes, et aussi de Castor, qui en groupe six.

Algol, l'étoile diabolique des Arabes, dans la constellation de Persée, est une binaire célèbre. Tous les trois jours environ, sa lumière faiblit au passage de sa compagne

Périodiquement, la lumière d'une variable à éclipses est masquée aux observateurs terrestres par le passage de l'étoile jumelle.

une étoile très pâle qui tourne autour d'elle et masque périodiquement sa lumière aux observateurs terrestres. Les étoiles dont l'éclat est instable sont dites variables. Algol est une variable à éclipses parce que l'une de ses deux étoiles éclipse l'autre périodiquement.

Certaines variables changent d'éclat pour d'autres raisons, qui tiennent à leur propre nature. Le rythme de ces changements peut varier de quelques jours à quelques mois. Certaines sont visibles à l'œil nu, d'autres uniquement au télescope. Les novae (pluriel de nova), avec leurs brusques changements d'intensité lumineuse, sont des variables.

La grande nébuleuse spirale d'Andromède

NOTRE GALAXIE ET AU-DELÀ

A l'équateur, la Terre tourne sur son axe à plus de 1 600 km (1 000 milles) à l'heure; en même temps, elle court à 107 300 km (67 000 milles) à l'heure sur son orbite autour du Soleil et, avec tout le système solaire, elle tourne autour de notre galaxie, ou système stellaire, à plus de 800 000 km (500 000 milles) à l'heure.

La galaxie est une gigantesque spirale plate, d'un diamètre de 100 000 années-lumière, tournant autour d'un point central. Toutes les étoiles visibles de la Terre, et toutes celles, plus nombreuses encore, qui nous sont invisibles, en font partie. On peut en voir une portion lorsque le ciel est bien noir, sous la forme d'une bande lumineuse formée d'innombrables étoiles et s'étendant d'un horizon à l'autre. Les Anciens la comparaient à une rivière blanche et l'appelaient *galaxias,* c'est-à-dire Voie lactée. Notre propre système solaire n'est qu'une petite partie de cette Voie lactée et ce que nous pouvons en apercevoir ne représente qu'un centième environ de notre galaxie tout entière, véritable nuée de gaz flottant dans l'espace et nous cachant la plupart des autres étoiles.

Il existe aussi, se déplaçant à travers l'espace, de nombreux amas globulaires gigantesques, groupant des étoiles qui tournent toutes ensemble d'un même mouvement. Ces amas sont retenus dans notre galaxie par sa force d'attraction. Ils se trouvent cependant si loin de nous que seul un télescope ou de très fortes jumelles nous permettent de les apercevoir. Nous savons que les plus lumineux de ces groupes mesurent quelque 100 à 200 années-lumière de diamètre et qu'ils sont constitués par des dizaines de milliers d'étoiles très chaudes, la plupart plus brillantes que notre Soleil. L'amas globulaire de la constellation d'Hercule, par exemple, contient plus de 50 000 soleils.

Il existe aussi d'autres amas d'étoiles, moins denses que les amas globulaires et souvent assez rapprochés de nous pour qu'il nous soit parfois difficile de les reconnaître comme tels. Certaines étoiles de la Grande Ourse, par

OBSERVATOIRE DU COLLÈGE DE HARVARD

Un grand amas globulaire: Oméga du Centaure

exemple, font partie de l'un de ces immenses amas de faible densité.

Il vous est sans doute arrivé de jouer avec ces séries de blocs creux s'emboîtant les uns dans les autres, du plus petit jusqu'au plus grand. C'est ainsi que notre petite Terre s'insère dans notre système solaire, lequel est contenu dans l'immense ensemble d'étoiles constituant la galaxie, et que notre galaxie fait partie du plus grand de tous les ensembles: l'Univers, formé de tous les systèmes stellaires du ciel. Ces systèmes sont innombrables puisque, avec leurs grands télescopes, les astronomes peuvent déjà en voir des millions et des millions, distants chacun d'environ un million d'années-lumière et se multipliant à l'infini.

Les photographies spectroscopiques montrent que plus une galaxie est loin, plus vite elle semble s'éloigner de nous. L'Univers par conséquent ne cesse de grandir et chaque galaxie, de s'éloigner de ses voisines. Une théorie familière aux astronomes veut que, lorsque notre propre galaxie aura perdu ses voisines actuelles, d'autres se seront formées à partir des gaz flottant dans l'espace et auront pris leur place.

Jusqu'où peuvent aller toutes ces étoiles? Quelles sont les dimensions de l'Univers? Les galaxies les plus lointaines que nous puissions observer avec nos télescopes s'éloignent de nous à une vitesse de plus de 224 000 000 de km (140 000 000 de milles) à l'heure. Nul ne sait encore où commence et où finit l'Univers. Nous le saurons peut-être un jour, ou peut-être jamais, mais, si nous y parvenons, nous aurons éclairci un grand mystère.

VOLCANS ET SÉISMES

par REBECCA B. MARCUS

version française par
FRANCE LAFORTUNE-JASMIN

COURTOISIE DE AMERICAN MUSEUM OF NATURAL HISTORY

Eruption du Paricutín, de nuit

Eruption du Paricutín, de jour

COURTOISIE DE AMERICAN MUSEUM OF NATURAL HISTORY

ÉRUPTION DANS UN CHAMP DE MAÏS

Le 20 février 1943, Dionisio Pulido, un paysan mexicain, était en train de labourer son champ de maïs, quand il remarqua la chaleur inusitée du sol, sous ses pieds nus. Cela lui sembla aussi étrange que les grondements souterrains qui se faisaient entendre depuis deux semaines. Mais, comme le temps des semailles approchait, il continua son travail. Soudain, à ses pieds, le terrain s'affaissa, le grondement devint assourdissant et une colonne de fumée blanche s'éleva d'une crevasse apparue là. Bientôt une violente explosion se produisait, lançant très haut en l'air des blocs de roche, d'épais nuages noirs et de la poussière.

Terrifié, Pulido courut au village voisin de Paricutín, raconter ce qui venait d'arriver. Les habitants avaient entendu l'explosion et vu les nuages noirs; affolés, ils entassaient leurs biens sur des charrettes, s'apprêtant à fuir.

Toute la nuit, le ciel et la campagne environnante furent éclairés par les roches et les cendres incandescentes, jaillissant du trou jusqu'à 300 m (1 000 pieds) et plus en l'air. Elles retombaient et s'entassaient tout autour, de sorte que, le lendemain matin, un monticule de 40 m (environ 120 pieds) de haut se dressait là où il n'y avait la veille qu'un terrain plat.

Un volcan venait de naître!

La nouvelle se répandit, de Paricutín, dans le monde entier. En une nuit, le champ de maïs de Pulido était devenu célèbre.

UN LABORATOIRE DE RECHERCHE NATUREL

Trois jours après, des vulcanologues (hommes de science qui étudient les volcans) étaient à pied d'œuvre, à Paricutín, pour observer le phénomène. C'était une occasion qui ne se représenterait peut-être plus, car l'apparition de nouveaux volcans est chose rare et n'avait encore jamais fait l'objet d'une étude immédiate. La nature offrait maintenant aux vulcanologues le laboratoire de recherche rêvé.

Ils examinèrent le matériel rejeté par le nouveau volcan et déterminèrent la température et la vitesse d'écoulement de la roche en fusion, ou lave, qui s'échappait maintenant d'une fissure du volcan; ils observèrent aussi comment elle cimentait les pierres éparses en une masse compacte. Les données recueillies, s'ajoutant à toutes celles fournies par l'étude d'autres volcans, contribuèrent à élargir le champ de leurs connaissances sur l'intérieur de la Terre et sur l'activité volcanique.

Le Paricutín, lui, poursuivit pendant quatre ans ses violentes éruptions, crachant de grandes quantités de lave et de roches. Son activité diminua ensuite, pour cesser complètement en 1952. Depuis, il est considéré comme éteint. Pendant son activité, il a érigé une montagne haute de 430 m (1 400 pieds), sur une base de plusieurs kilomètres de diamètre, et a causé des dégâts importants, mais n'a fait qu'un seul blessé.

Quand le Paricutín était en activité, on venait des quatre coins du monde voir cet intéressant phénomène. Il n'y a là, aujourd'hui, qu'une colline en forme de cône tronqué et des champs couverts de débris rocheux, de cendre et de lave durcie.

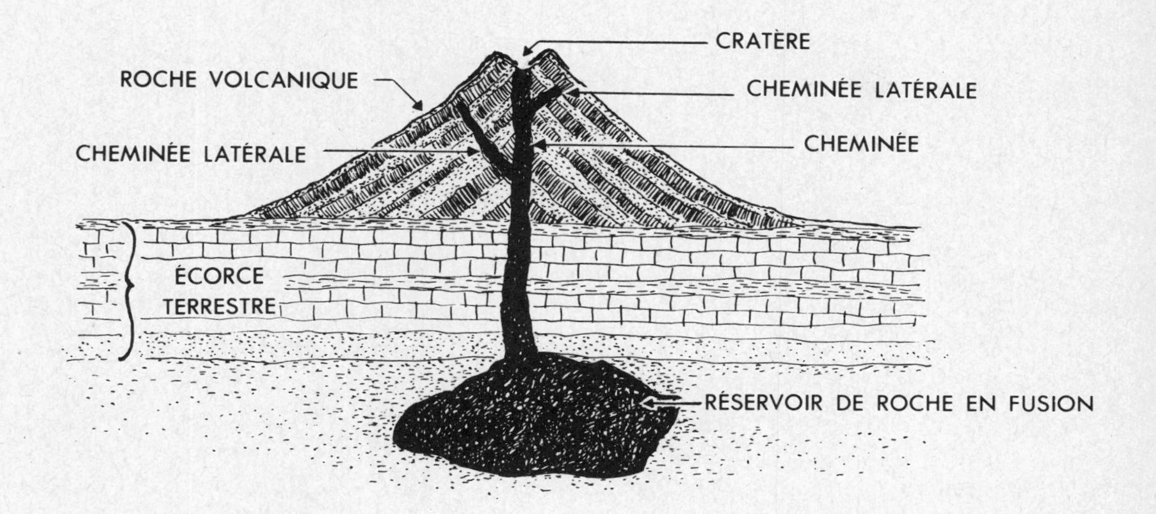

QU'EST-CE QU'UN VOLCAN?

Toutes les montagnes ne sont pas nécessairement des volcans. Elles ont été formées par soulèvement, affaissement ou plissement de l'écorce terrestre. Le volcan naît d'une tout autre façon. On peut dire qu'il se construit lui-même, à partir de la roche incandescente ou en fusion, et de la lave, qui sortent d'un trou dans le sol, comme à Paricutín. La forme en est généralement conique avec, au sommet, une cavité circulaire: le cratère. Mais ce qui différencie vraiment un volcan d'une montagne, c'est son ouverture, ou cheminée, qui relie le cratère à un réservoir de roche en fusion.

D'où vient cette chaleur qui fait fondre la roche?

DE QUOI FAIRE FONDRE LES MÉTAUX

Les Anciens connaissaient peu la vulcanologie, la science des volcans. Ils croyaient que les forges de Vulcain, dieu du métal et du feu, étaient installées sous certaines montagnes et que celles d'où jaillissaient de la fumée et des étincelles étaient des cheminées de forge. Ils soutenaient même qu'une montagne, située sur une île proche de la Sicile, était la cheminée de la principale forge de Vulcain et que les grondements souterrains provenaient des coups de marteau qu'il donnait sur l'enclume pour forger le métal. Les Romains nommèrent cette île Vulcano. Bien qu'elle ne soit guère importante et que son volcan ne soit pas des plus actifs, c'est de là que le mot volcan tire son origine. C'est maintenant le terme utilisé pour désigner toute montagne qui éjecte des roches incandescentes, de la lave ou des gaz.

Les Anciens avaient, jusqu'à un certain point, raison: il n'y a pas de forges de Vulcain au sein de la Terre, mais il y règne une chaleur extrême, de quoi faire fondre les métaux. Bien que personne n'ait creusé aussi profond, les savants savent de quoi se compose l'intérieur de notre planète. Ils l'ont appris en étudiant la façon dont les ondes séismiques, dues aux tremblements de terre, se propagent à travers le globe.

Selon les connaissances actuelles, la Terre se compose de l'écorce, ou croûte, d'une épaisseur variable, de 30 à 50 km (20 à 30 milles), et constituée de roches granitiques ou basaltiques, comme à la surface. Sous la croûte, le manteau, épais de quelque 3 000 km (1 800 milles), est formé de différentes roches solides et riches en fer et autres minéraux. Au centre, le noyau, d'un rayon approximatif de 3 200 km (2 000 milles), se compose de deux zones, dont l'extérieure a la consistance d'une masse visqueuse et dont l'intérieure

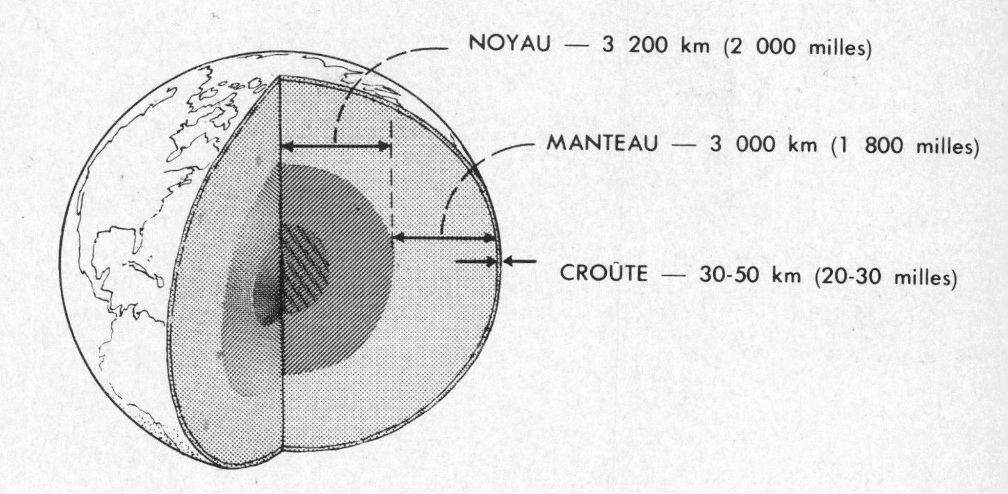

est solide, toutes deux constituées principalement de fer, de nickel et de cobalt.

L'intérieur de la Terre n'est pas assez chaud pour que toutes les roches y soient liquéfiées. A partir de la surface, la température s'élève de 50°C par kilomètre (ou 150°F par mille), mais elle n'augmente pas aussi rapidement jusqu'au centre de la planète car, dans ce cas, le noyau serait plus chaud que le Soleil même. Suivant les savants, la température du noyau serait de 2 200 à 4 400°C (4 000 à 8 000°F).

On estime que la chaleur qui règne au sein du globe est due à trois causes principales: d'abord, un reste de la chaleur qui existait quand la Terre était en formation et n'était pas encore solidifiée; ensuite, la pression exercée par l'énorme poids des roches des couches supérieures sur les inférieures; enfin, le rayonnement des corps radio-actifs, qui dégagent de la chaleur.

Elles fournissent, à elles trois, assez de chaleur à l'intérieur de la Terre, pour faire fondre la roche et les minéraux qui s'y trouvent. En dépit de cette température excessive, les matériaux situés au-delà de 2 900 km (1 800 milles) ne sont pas en fusion. Mais, qu'entend-on par fusion?

IMPORTANCE DE LA PRESSION

Rappelons d'abord que toute matière se compose de particules très petites, perpétuellement agitées: les molécules. Dans un corps solide, elles sont si rapprochées qu'elles peuvent à peine se mouvoir. Mais, sous l'effet de la chaleur, leur mouvement s'accélère et, s'il y a assez d'espace, elles s'éloigneront un peu les unes des autres. Ainsi, la matière se dilate sous l'action de la chaleur et quand celle-ci est suffisante, les molécules s'écartent, jusqu'à ce que la matière solide se déforme et commence à couler.

Si les molécules subissent une pression extrêmement forte, elles ne peuvent se mouvoir librement et s'écarter les unes des autres, malgré la chaleur, et la roche, ne pouvant se dilater ni fondre, restera à l'état solide. Les savants estiment qu'à 16 km (10 milles) de la surface, la pression est de 500 kg par centimètre carré (70 000 livres au pouce carré) et c'est pourquoi la majeure partie de la Terre est à l'état solide. Ce n'est que dans la zone extérieure du noyau, à quelque 3 200 km (2 000 milles) de profondeur, où règne une température très élevée, que la roche est à l'état liquide; dans la zone intérieure, où la pression est extrême et où la température est proportionnellement moins élevée, il n'y a pas de roche en fusion.

Pourtant, dans la croûte de 30 à 50 km (20 à 30 milles) d'épaisseur, la roche entre parfois en fusion et se fraye alors un passage vers la surface. Comment cela arrive-t-il?

Les vulcanologues ne savent pas de façon certaine comment la roche peut se liquéfier malgré la très forte pression qui s'exerce sur elle. Pour expliquer ce phénomène, ils ont proposé plusieurs théories, dont nous donnons ici les plus intéressantes.

a) Des substances radio-actives amassées en certains endroits peuvent dégager une quantité inusitée de chaleur.

b) Au-dessus de certaines régions, la roche est moins dense, donc moins lourde, et la pression n'est pas assez forte pour empêcher la fusion.

c) La surface de la croûte terrestre peut se contracter ou se plisser, réduisant ainsi la pression sous elle; dans ce cas aussi, la fusion est possible.

d) De temps à autre, de grandes portions de l'écorce terrestre se déplacent, en modifiant la pression qui règne en dessous et permettant à la roche d'entrer en fusion.

Dans l'une ou l'autre de ces circonstances, une partie de la roche, qui était solide à l'intérieur de la Terre, se liquéfie et charrie de la vapeur et des gaz, dégagés par sa fusion. Cette matière porte le nom de magma, lorsqu'elle se trouve sous l'écorce terrestre, et celui de lave, dès qu'elle arrive à la surface. En raison de sa fluidité, ce magma se fraye un passage à travers les fissures de la roche solide, jusqu'à ce qu'il rencontre une poche, où il s'accumule. Il y reste, en attendant que des conditions favorables lui permettent de sortir à la surface.

LE MAGMA SE FRAYE UN PASSAGE

Plus le magma s'élève vers la surface, moins il y a de roche au-dessus de lui, la pression diminue donc et cela facilite sa montée. Une certaine quantité de vapeur et de gaz peut former des bulles qui se dilatent puis éclatent, au fur et à mesure que la pression diminue. Les bulles crèvent habituellement avec une telle force qu'elles entraînent le magma avec le gaz qui s'échappe. C'est, à une beaucoup plus petite échelle, ce qui arrive quand on débouche une bouteille d'eau gazeuse tiède. Paf! Le gaz emmagasiné se précipite à l'extérieur, entraînant avec lui une partie du liquide.

Les vulcanologues attribuent au déplacement de certaines portions de la croûte terrestre la diminution de la pression souterraine. Ce déplacement peut modifier la pression, permettant à la roche d'entrer en fusion, et de la réduire de façon à ce que les bulles de gaz entraînent le magma. Si celui-ci se trouve sous une partie faible de la croûte terrestre, la force du gaz qui s'échappe peut l'entraîner jusqu'à la surface.

POINTS FAIBLES DE L'ÉCORCE TERRESTRE

Les géologues ont pu localiser les points faibles de l'écorce terrestre, où des volcans pourraient apparaître.

Il est à noter que plusieurs de ces points faibles sont situés dans des îles de l'océan Pacifique. Il est probable que certaines de ces îles ont d'abord été de petits volcans au fond de l'océan qui, après avoir suffisamment grossi, sont apparus à la surface. On sait en effet qu'il y a encore plusieurs petits volcans au fond de l'océan.

Les îles Hawaii sont les îles volcaniques les plus connues. Elles s'étendent sur 2 400 km (1 500 milles) environ dans une région située le long d'une portion faible de la croûte terrestre. Iwo Jima, les Samoa et Midway sont d'autres îles volcaniques du Pacifique que l'on connaît, sans toujours se rappeler que ce sont en réalité les sommets de volcans sous-marins. De la Nouvelle-Zélande à Hawaii, un grand nombre de ces îles parsèment la surface de l'océan.

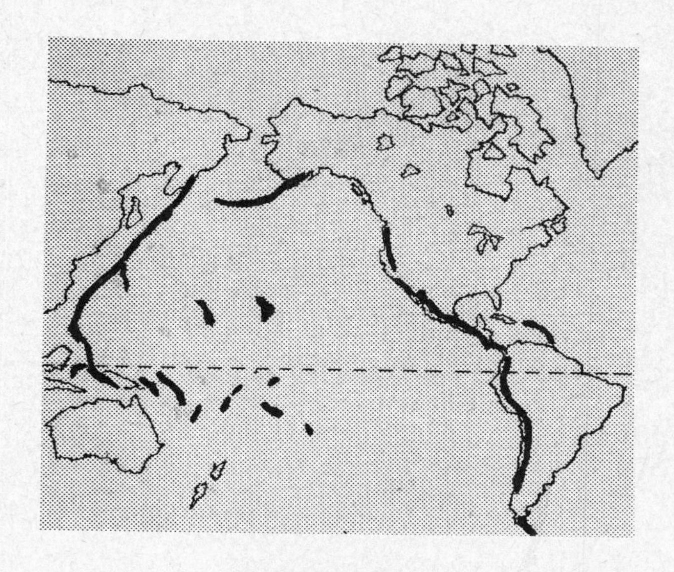

Principales régions volcaniques du globe

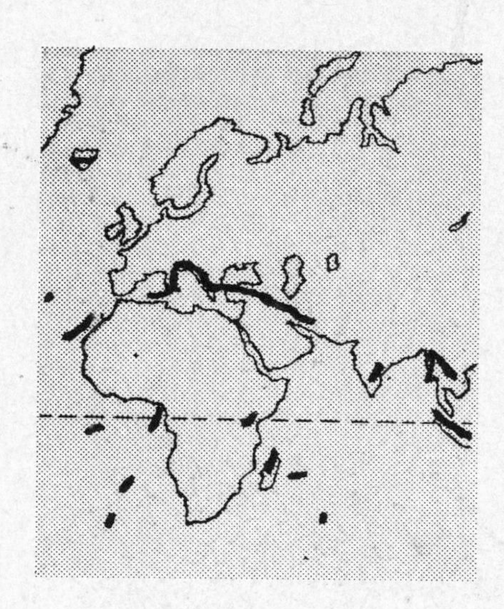

Les points faibles s'échelonnent le long de la bordure continentale du Pacifique, formant ce qu'on appelle le grand cercle de feu ou la ceinture de feu du Pacifique, parce qu'on y trouve beaucoup de volcans.

RÉPARTITION GÉOGRAPHIQUE DES VOLCANS

D'un côté de l'océan, ce cercle de feu est jalonné par les volcans de l'Alaska et, de l'autre côté, par les volcans de Sibérie, du Japon, des Philippines, de l'Indonésie et de la Nouvelle-Zélande. Il disparaît ensuite sous l'océan pour reparaître à la pointe de l'Amérique du Sud, puis remonte le long de la côte du Pacifique et des Andes, jusqu'en Amérique centrale et au Mexique. Le cercle s'interrompt là et, entre le Mexique et l'Alaska, on ne connaît qu'un volcan, le mont Lassen en Californie.

Les autres zones volcaniques sont moins importantes. Du côté de l'Atlantique, il n'y a pas de volcans sur les côtes, mais dans les îles, notamment aux Antilles, ils sont très nombreux. Le plus connu d'entre eux est la Montagne Pelée, dont l'éruption de 1902 a détruit la ville de Saint-Pierre à la Martinique.

Plus loin dans l'océan Atlantique, une autre zone de points faibles de l'écorce terrestre part de l'Islande, longe les Açores, les Canaries, les îles du Cap Vert, les îles de l'Ascension, de Sainte-Hélène et va au sud jusqu'aux îles Tristan-da-Cunha, au sud-ouest du cap de Bonne-Espérance, tandis que l'Antarctique ne possède qu'un volcan actif. Il y a encore d'autres régions volcaniques, habituellement dirigées d'est en ouest. On en trouve une dans la région du Paricutín au Mexique et une autre autour de la Méditerranée où sont situés les monts Vésuve, Etna, Stromboli et Vulcano; il y a enfin la zone volcanique d'Afrique centrale. La plupart des 500

Le mont Erébus, seul volcan actif de l'Antarctique

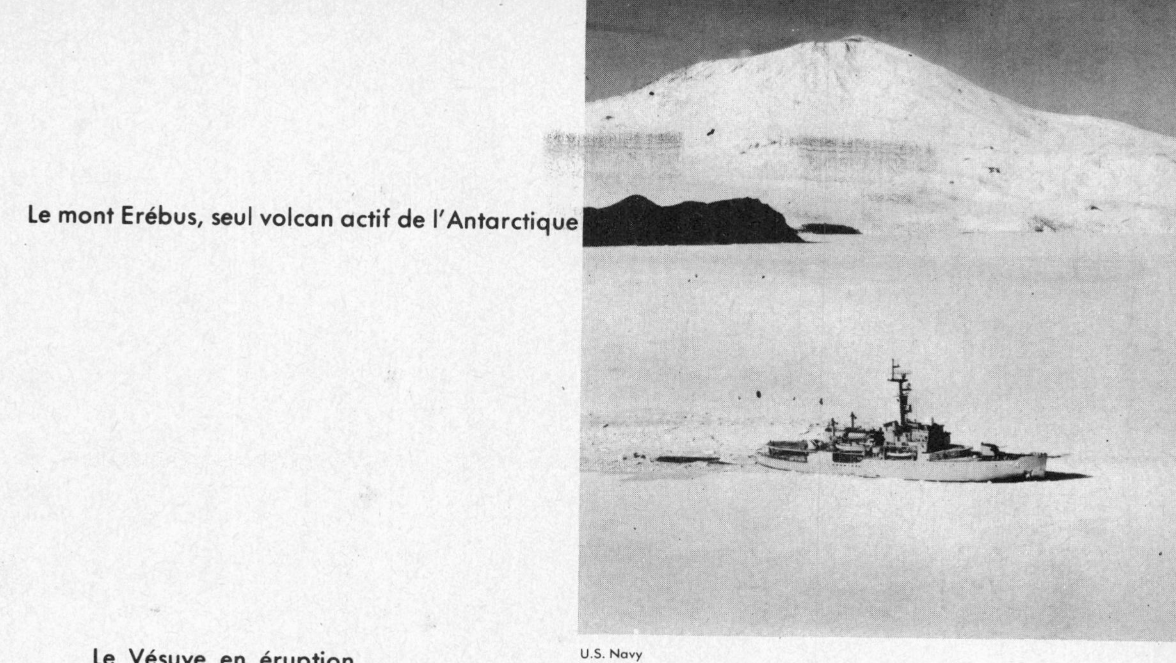

U.S. Navy

Le Vésuve en éruption

U.S. Navy

et quelques volcans actifs, que l'on connaît à l'heure actuelle, sont situés dans l'une ou l'autre de ces régions.

À MAGMA DIFFÉRENT, ÉRUPTION DIFFÉRENTE

Le plus souvent, quand on pense à une éruption volcanique, on se représente des roches incandescentes, de la fumée et des gaz jaillissant avec force à travers la cheminée d'un volcan. Bien que la plupart fassent éruption de cette façon, d'autres expulsent la lave d'une manière moins spectaculaire. Le magma deviendra lave lorsqu'il sera projeté à travers le cratère, et c'est de sa consistance que dépendra la violence de l'éruption.

On distingue deux types de magma: granitique et basaltique. Le premier, constitué de roche de couleur claire, est moins lourd que l'autre et, parce qu'il est plus épais, il coule plus lentement. Les savants ont établi que le magma granitique est plus visqueux que le basaltique.

A cause de sa viscosité, le magma granitique peut emmagasiner plus de gaz et de vapeur, qui s'en échappent à mesure qu'il approche de la surface. Si, comme cela arrive souvent, la cheminée volcanique est obstruée par de la lave durcie, les gaz et la vapeur s'accumulent sous terre, jusqu'à ce que leur poussée soit assez forte pour faire sauter le bouchon obstruant la cheminée. A ce moment, ils jaillissent en projetant les débris rocheux très haut en l'air. Une telle éruption est dite explosive.

Le magma basaltique, lui, est plus lourd et de couleur foncée. Toutefois, malgré son poids, il coule plus facilement que le granite fondu, étant plus fluide (ou moins visqueux). En raison de sa fluidité, la vapeur et les gaz peuvent s'en échapper plus facilement, même quand il est encore sous terre. Toutefois ces gaz ne s'amassent pas sous la surface pour faire ensuite explosion à l'extérieur et le magma basaltique donne une lave assez liquide pour s'écouler facilement du cratère, sans obstruer le conduit volcanique. Les volcans d'Hawaii font éruption de cette manière, c'est pourquoi ce genre d'éruption est dite du type hawaiien.

PLATEAU DE ROCHES VOLCANIQUES

Certaines coulées de lave n'ont pas formé de montagnes parce qu'elles ne sortaient pas d'ouvertures profondes et encaissées mais de longues crevasses, ou failles, de la croûte et se répandaient sur de vastes étendues de terrain.

Les coulées qui surgissent des failles, ou éruptions fissurales, sont le plus souvent basaltiques. Ce sont des accumulations de lave de ce genre qui constituent le grand plateau de l'Islande, celui du Deccan, en Inde, celui d'Afrique centrale et celui des rivières Columbia et Snake, dans l'ouest des Etats-Unis.

Des coulées de lave du type granitique, appelée rhyolite, se trouvent notamment en Amérique du Sud et dans le Parc national de Yellowstone, aux Etats-Unis.

La plus grande éruption fissurale dont l'histoire fasse mention est celle qui survint en Islande, durant l'été 1783. Une crevasse, longue de 32 km (20 milles), s'ouvrit soudain, laissant échapper des flots de lave qui eurent tôt fait d'inonder quelque 500 km^2 (200 milles carrés). Les descendants des témoins de ces événements racontent encore comment la lave envahit la région, ensevelissant fermes et villages, détournant le cours des rivières.

NEW ZEALAND NATIONAL PUBLICITY STUDIOS

Fumerolles en Nouvelle-Zélande

LES GAZ QUI S'ÉCHAPPENT DE LA CHEMINÉE D'UN VOLCAN

On sait que les éruptions volcaniques projettent en l'air des gaz, des débris de roche et de la lave.

La force explosive des éruptions est en grande partie due à la pression des gaz, dont les quatre cinquièmes sont de la vapeur. Certains gaz sont parfois toxiques; d'autres, tels l'anhydride sulfureux et l'hydrogène sulfuré, sont de surcroît nauséabonds. Ces émanations, qu'on appelle fumerolles, sortent de fissures dans le sol ou des cratères de volcans en sommeil. Les terrains où les fumerolles se trouvent en abondance portent le nom de solfatares. Les plus connues sont celle de Pouzzoles, près de Naples en Italie, celle de la vallée des Dix-Mille-Fumées, au pied du mont Katmai en Alaska, du Parc de Yellowstone, aux Etats-Unis, etc.

Les gaz qui s'échappent des volcans peuvent être aussi nocifs que la lave ou la roche incandescente. Même après une éruption de peu de durée, on ne retrouve que récoltes desséchées, cadavres d'animaux domestiques, sans parler des victimes humaines. Lors de l'éruption du Vésuve, en 79, beaucoup d'habitants de la ville de Pompéi, située au pied de la montagne, moururent asphyxiés par les gaz avant d'être ensevelis sous les cendres et la lave.

Toutefois, les gaz et fumerolles ne sont pas toujours nuisibles. Ils contiennent parfois des métaux utiles ou même précieux, sous forme de minuscules particules, liquéfiées par les très hautes températures qui règnent sous l'écorce terrestre et dans le cratère, et qui se refroidissent et se déposent à l'air. Un exemple de tels dépôts est celui de Cripple Creek (Etats-Unis), où les filons aurifères se trouvent dans le cratère d'anciens volcans.

Ruines de Pompéi, avec le Vésuve à l'arrière-plan

E.N.I.T.

On trouve aussi parfois des diamants dans le conduit de volcans aujourd'hui éteints. La pierre précieuse s'est formée dans le magma même, alors que le carbone en fusion se refroidissait lentement sous une forte pression, puis fut portée par l'éruption jusqu'au goulot du volcan où elle est demeurée enchâssée. Les importantes mines de diamant de Kimberley (République sud-africaine) sont situées dans le goulot d'un ancien volcan.

ÉJECTION DE ROCHES IGNÉES

Bien que la présence de tous ces minéraux soit le résultat d'éruptions volcaniques, ils n'ont pas été éjectés du cratère au cours de l'activité volcanique mais déposés là, en conséquence des éruptions. Toutefois des blocs de roche sont souvent projetés hors du cratère, lors d'une éruption. Suivant leur taille, ils ont été classés en diverses catégories, ce qui en facilite la description.

Les matériaux les plus fins sont appelés poussières; le vent les emporte souvent très loin de leur lieu d'origine et elles peuvent rester dans les airs pendant des années, causant ainsi de merveilleux couchers de soleil, comme en Alaska, en 1912, après l'éruption du Katmai.

Viennent ensuite les cendres qui, elles, peuvent atteindre des proportions plus importantes (5-6 mm 1/4 de p.) et les lapilli (d'un mot latin qui signifie petites pierres). On emploie quelquefois le terme de scories pour désigner les cendres et les lapilli. Des blocs rocheux sont parfois projetés hors des cratères après avoir été détachés de leurs parois et conduits ou arrachés à la lave durcie qui s'y était amassée. Ces blocs peuvent atteindre des dimensions considérables: lors d'une éruption du Stromboli, un bloc de deux tonnes a été projeté à 3 200 m (2 milles) du cratère. D'une manière générale, tout ce qu'une éruption volcanique projette en l'air est appelé éjecta.

SERVICES D'INFORMATION DE LA REPUBLIQUE SUD-AFRICAINE

Mines de diamant dans le goulot d'un volcan éteint, en Afrique du Sud

COULÉES DE LAVE

Lorsqu'elle sort d'un volcan, la lave est si chaude qu'elle en est incandescente, rouge ou blanche, comme l'acier fondu dans un creuset. La vitesse à laquelle elle s'écoule dépend de sa fluidité et, aussi, de la pente du volcan. C'est d'habitude une vitesse de 8 km (5 milles) à l'heure, mais il est arrivé qu'elle en atteigne le double.

U.S. NAVY

La lave du Vésuve engloutit San Sebastiano-Vesuvio, en avril 1944.

Les hommes de science ont parfois pu faire dévier les coulées de lave comme à Hawaii, en 1935. Le Mauna Loa faisait éruption et la lave approchait dangereusement de la ville de Hilo. Les autorités savaient qu'une telle coulée s'était heureusement arrêtée aux limites de la ville en 1881, mais ne voulurent pas se fier à la chance et demandèrent l'avis des géologues.

Après examen de la coulée, ceux-ci firent appel à la marine militaire des Etats-Unis et, avant que la lave ait pu atteindre la ville, les bombardiers de l'armée de l'air avaient lancé des explosifs sur la coulée pour en changer le cours. C'est ainsi que la ville de Hilo fut sauvée.

FORMES ÉTRANGES DE LA LAVE

Quand il est possible de trouver un endroit sûr, assez proche d'un volcan pour observer la coulée de la lave, on peut la voir disparaître dans un tunnel creusé par une coulée antérieure pour reparaître un peu plus loin.

Ce tunnel peut avoir été formé par une coulée particulièrement lente, dont la couche supérieure s'est refroidie pour former une croûte, alors que la couche inférieure restait fluide et continuait d'avancer. Quand le cratère cesse d'expulser la lave, la roche incandescente coule encore sous cette croûte, comme de l'eau s'écoule dans un tuyau quelques secondes encore après qu'on en a fermé le robinet. Cette roche incandescente s'est durcie à son tour au pied de la montagne, laissant derrière elle un tunnel, dont le toit n'est qu'une croûte de lave durcie et dans lequel, lors d'une nouvelle éruption, la lave fraîche s'engloutit.

Tunnel de lave

UNION PACIFIC RAILROAD

Quand une couche de lave se fige au-dessus d'une coulée encore fluide, elle forme aussi de longues cavernes étroites. Dans l'Etat d'Idaho, aux Etats-Unis, le monument national dit "Craters of the Moon" en renferme certaines qui ont jusqu'à 10 m (30 pieds) de large sur 30 m (100 pieds) de long. Mais c'est dans l'île d'Hawaii que l'on en trouve le plus grand nombre. Les pentes du Mauna Loa sont recouvertes de centaines de ces cavernes et de tunnels, dont certains sont englobés dans le Parc national d'Hawaii et peuvent être visités.

Parfois, en se figeant, la lave forme une surface tellement heurtée qu'elle est inutilisable, qu'on ne peut même pas s'y promener. Elle donne quelquefois l'impression d'être unie mais, à regarder de plus près, on se rend compte que c'est comme une masse de goudron épais qui se serait figé au fur et à mesure qu'il coulait d'un baril. D'autres coulées de lave prennent en se refroidissant l'aspect de gigantesques torons de cordages; elles prennent alors le nom de lave cordée.

Quand des gaz emprisonnés dans la lave arrivent à s'en échapper, ils soulèvent, ce faisant, la croûte déjà solidifiée, pour former des cônes semblables à des cheminées, pouvant atteindre 6 m (20 pieds) de haut, qu'on appelle des cônes adventifs.

En se promenant sur ces terrains accidentés, où des falaises déchiquetées voisinent avec des coulées de lave cordée, où des cavernes et des tunnels s'ouvrent à chaque pas et où des centaines de cônes adventifs barrent la route, on a l'impression de se trouver sur la Lune. C'est d'ailleurs la raison du nom de Craters of the Moon National Monument, signifiant monument national des cratères de la Lune. Sur une étendue de 190 km² (75 milles carrés), on peut y voir les formes étranges que peuvent prendre les coulées de lave en durcissant.

U.S. DEPT. OF THE INTERIOR, NATIONAL PARK SERVICE

Lave cordée

Coulée ressemblant à du goudron épais, qui se serait figé au fur et à mesure qu'on le versait.

MENDENHALL, U.S. GEOLOGICAL SURVEY

IDAHO DEPT. OF COMMERCE AND DEVELOPMENT

Le Craters of the Moon National Monument

Le Devil's Post Pile en Californie

U.S. FOREST SERVICE

La Chaussée des Géants en Irlande

BRITISH TRAVEL ASSOCIATION

Dans certaines conditions, les coulées de laves basaltiques peuvent donner lieu à des formations curieuses. En se figeant, elles se divisent en prismes hexagonaux (à six faces), perpendiculaires à la surface de refroidissement. Plus la température de la lave baisse, plus les cassures s'approfondissent, laissant apparaître des colonnades, ou orgues, basaltiques, d'un effet impressionnant. Les plus connues sont les Palisades, le long de l'Hudson, et le Devil's Post Pile en Californie, aux Etats-Unis, les colonnades de Fingal en Ecosse et la chaussée des Géants d'Antrim, en Irlande, ainsi que les orgues de Saint-Flour et de Murat, en Auvergne (France).

MONTAGNE DE VERRE ET ROCHE FLOTTANTE

Dans le Parc national de Yellowstone, aux Etats-Unis, se dresse une montagne d'obsidienne, roche d'origine volcanique, ayant l'aspect du verre foncé.

L'obsidienne provient d'une lave granitique, refroidie avant que les minéraux qui la composent ne se soient cristallisés. Son aspect et sa coloration— gris verdâtre, noire ou noire striée de rouge—la font ressembler au verre à bouteilles. Les Indiens d'Amérique et les hommes de l'âge de la pierre en faisaient des têtes de flèches, des pointes de lances, des couteaux et des grattoirs. L'obsidienne aurait été découverte en Ethiopie; on la trouve dans les volcans anciens ou actuels, en Hongrie, aux îles Lipari, au Mexique et au Pérou, entre autres, mais c'est dans le Parc national de Yellowstone qu'on en trouve une quantité telle qu'elle forme une véritable montagne.

La lave granitique qui donne l'obsidienne produit également une roche poreuse et assez légère pour flotter sur l'eau: la pumite, connue sous le nom de pierre ponce. C'est, de fait, une obsidienne,

Obsidienne

STEARNS, U.S. GEOLOGICAL SURVEY

Ponce

rendue spongieuse par les bulles de gaz qui y sont restées emprisonnées lors de son refroidissement. Elle ressemble à l'écume qui se forme à la surface d'une soupe ou d'une confiture bouillante et c'est en effet une écume, une mousse de verre.

En 1883, le volcan de l'île Krakatoa fit éruption, causant une explosion qui engloutit les deux tiers de l'île et lançant une énorme quantité de pierre ponce qui recouvrit la mer comme un tapis. Sur ce tapis flottant, les marins d'un bateau, qui se trouvait à 3 200 m (2 milles) de là, purent marcher jusqu'à ce qui restait de l'île.

Les pierres ponces donnent une poudre abrasive douce, qui sert au polissage de diverses matières et au nettoyage des dents par les dentistes. Mais les ressources de pierre ponce naturelle s'épuisent rapidement et l'on a de plus en plus recours à des succédanés.

Les volcans, dont les éruptions donnent divers genres de roches et minéraux, affectent eux-mêmes des formes multiples.

FORMES DES CÔNES VOLCANIQUES

Le volcan s'édifie lui-même, mais la forme qu'il prend dépend des éléments qui le constituent.

Lors d'une éruption explosive, des roches sont lancées hors du cratère et s'empilent pour former un talus raide tout autour de lui formant ce qu'on appelle un cône de scories. La lave, qui s'écoule ensuite, cimente les blocs de roche et forme un cône régulier. C'est ce qui s'est produit à la naissance du Paricutín, exemple parfait du cône de scories.

Les cônes de scories ont une activité assez brève: de quelques jours à quelques années, tout au plus. A cause de cela, ils dépassent rarement 500 m (1 500 pieds) de haut. Quand ils deviennent inactifs, une certaine quantité d'éjecta s'éboule dans le cratère et le bouche. A part sa forme et la présence de roche ignée sur ses flancs, une telle montagne n'évoque guère un volcan.

Des coulées lentes de lave élèvent autour de la cheminée une montagne, dont l'origine volcanique est difficilement visible. Avec un sommet aplani et des côtés légèrement bombés, un tel cône ressemble plutôt à une cuvette renversée; on l'appelle bouclier de lave.

Pour former une montagne, il faut d'énormes accumulations de coulées superposées. Les îles Hawaii, par exemple, constituent un immense bouclier de laves solidifiées: la base du plus grand volcan, le Mauna Loa, est à près de 5 000 m (16 000 pieds) sous l'océan alors que le sommet s'élève a 4 300 m (14 000 pieds). On imagine donc combien de coulées successives ont contribué à sa taille.

La forme de cône volcanique la plus courante est celle du cône mixte où alternent scories et coulées de lave. On y trouve des couches superposées de roches détachées, cimentées par des épaisseurs de lave durcie.

WENNER-GREN FOUNDATION

Cônes de cendres au Pérou

Le Mayon, aux Philippines, est un stratovolcan au cône parfait.

PHILIPPINE TRAVEL INFORMATION OFFICE

La formation stratifiée de ces cônes leur a valu le nom de stratovolcans. C'est à cette catégorie qu'appartiennent les plus beaux volcans du monde, comme le Fuji Yama, au Japon, le mont Rainier et le mont Hood, aux Etats-Unis, et le Mayon, aux Philippines, considéré le stratovolcan au cône le plus parfait.

LES DIFFÉRENTS CRATÈRES

Il faut se rappeler que les volcans ont à leur sommet un cratère, relié par une cheminée à un réservoir de roche en fusion. Cela peut paraître étrange, mais la taille du volcan n'a guère de rapport avec celle du cratère. Ainsi, aux îles Hawaii, un volcan de 3 220 m (10 560 pieds) de haut a un cratère au diamètre de plus de 11 km (7 milles), alors qu'au Mexique le mont Orizaba a un cratère de quelque 400 m (1 320 pieds) pour une altitude de 5 700 m (environ 18 500 pieds).

La forme de cratère la plus curieuse est la caldeira (mot portugais signifiant chaudière); elle est évasée et peu profonde. Elle se forme par effondrement du sommet du volcan; peu après une éruption, il peut arriver que le niveau de la roche en fusion baisse dans la cheminée volcanique, créant un vide dans lequel les parois du sommet du cratère, privées du soutien de la lave s'effondrent. Les vulcanologues pensent que c'est dans une telle caldeira sous-marine que l'île de Krakatoa a été engloutie lors de l'éruption explosive de 1883.

Une caldeira bien connue est celle de Crater Lake, dans l'Oregon aux Etats-Unis, que les géologues estiment remonter à une éruption du mont Mazama, il y a des milliers d'années de cela. On en trouve un peu partout dans les régions volcaniques: au Japon (Aso-san), aux Canaries, dans les îles Hawaii.

U.S. NAVY

Le Mont Shishaldin, dans les Aléoutiennes, n'a qu'un tout petit cratère.

Formation d'une caldeira: la lave de la cheminée principale sort par les cheminées latérales (à gauche); le sommet du cratère s'effondre dans la cheminée centrale, vidée de lave (à droite).

U.S. DEPT. OF THE INTERIOR, NATIONAL PARK SERVICE

Caldeira et cône de scories: le Crater Lake et l'île Wizard

Les caldeiras sont souvent remplies d'eau formant des lacs de cratère, dont surgissent des cônes volcaniques, résultats de reprises d'activité, postérieures à l'effondrement initial.

Tel est le cas à Crater Lake, où un cône plus récent, l'île Wizard, émerge des eaux bleues et limpides. On trouve là un magnifique point de vue, où l'œil embrasse une caldeira et un cône volcanique de scories, en même temps.

LA VULCANOLOGIE ET SES APPLICATIONS

Le rôle du vulcanologue, le plus important peut-être, est de prédire les éruptions. L'étude des gaz qui s'échappent du cratère, celle de leur température et de l'activité volcanique même lui permettent d'avertir les habitants qu'une éruption les menace. C'est ce qui a sauvé bien des vies au Japon, en Indonésie, en Italie et dans d'autres régions volcaniques du monde. Des laboratoires de recherche, destinés à prévenir les désastres, ont été installés sur les pentes du Vésuve en Italie, sur celles du Kilauea à Hawaii et ailleurs.

On peut se demander ce qui porte les gens à aller vivre sur les pentes d'un volcan alors qu'il émet de la vapeur, de la fumée. D'abord, avec les possibilités de prévention actuelles, la vie dans ces régions a perdu de son insécurité d'autrefois, ensuite et surtout parce que les terrains volcaniques sont particulièrement fertiles. Quelques-uns des meilleurs vignobles du monde sont situés sur les pentes du Vésuve et de l'Etna.

DES ÉRUPTIONS PROFITABLES

Dans les îles Hawaii, les gens ne prennent pas la fuite quand survient une éruption du Mauna Loa ou du Kilauea. Au contraire, tout le monde se dirige vers le volcan pour voir ce spectacle extraordinaire. Ces deux volcans actifs sont sans danger et on peut facilement s'approcher des cratères. Aussi toute une industrie touristique et hôtelière s'est-elle établie dans la ville de Hilo et ses environs, pour ceux qui désirent voir une éruption volcanique et visiter le Parc national d'Hawaii. Un hôtel, situé dans ce parc même, a un système de chauffage à la vapeur, vapeur provenant du Kilauea.

Les habitants du Congo tirent, eux aussi, profit des éruptions d'un volcan, le Kituro. En effet, quand celui-ci est en activité, la lave incandescente s'écoule dans le lac voisin de Kivu. Après l'éruption, les gens s'en vont en barque recueillir le poisson à demi bouilli qui flotte à la surface des eaux.

Un tout autre genre de services est rendu par le Stromboli. C'est un cône volcanique de quelque 1 000 m (3 000 pieds) d'altitude, dominant l'île du même nom, située dans la Méditerranée non loin des côtes de la Sicile. Son activité incessante se traduit par des séries d'explosions faisant jaillir des gerbes de scories incandescentes. Depuis les temps les plus reculés, les marins se guident la nuit sur les lueurs du cratère et c'est pourquoi le Stromboli est appelé le "phare de la Méditerranée".

En Toscane, province de l'Italie centrale, l'activité volcanique trouve d'autres usages. Il y a là des fumerolles qui lancent de puissants jets de vapeur; elle sert au chauffage des maisons de la ville de Larderello, comme à Hawaii. En outre, la vapeur qui sort de ces souffleries (soffione de leur nom local) alimente des turbines à vapeur et des générateurs d'électricité, fournissant le courant électrique nécessaire aux villes de Livourne et de Florence ainsi qu'à d'autres localités proches. Les solfatares et fumerolles, dont la Nouvelle-Zélande est si riche, servent également à des fins semblables et, depuis 1960, le comté de Sonora, en Californie, utilise la vapeur sortant du sol à la génération d'électricité.

SOURCES THERMALES

Les sources thermales sont en relation avec le volcanisme d'une région, mais ne sont pas dues à des éruptions. Leur eau est chaude par suite de son contact avec le magma et charrie des minéraux dissous qui lui donnent des propriétés médicinales, curatives de certaines maladies. Les sources thermales de Banff, dans l'Alberta au Canada, celles de l'Arkansas et du Colorado, aux Etats-Unis, de Vichy et d'Aix-les-Bains, en France, de Baden-Baden, en Allemagne, de Karlovy Vary, en Tchécoslovaquie, sont parmi les plus connues, mais leur nombre est considérable.

NEW ZEALAND NATIONAL PUBLICITY STUDIOS

La vapeur naturelle est acheminée vers une station génératrice d'électricité.

L'Islande possède des centaines de sources thermales et la plupart des maisons de Reykjavik, la capitale, bénéficient de l'eau chaude et du chauffage central grâce aux sources situées à 16 km (10 milles) de là. Hverdagerdi, à 48 km (30 milles) de Reykjavik, est connue comme la ville des sources thermales. Celles-ci chauffent non seulement les maisons mais aussi des serres, la principale activité des habitants étant la culture de fleurs, de légumes et même de fruits tropicaux, comme les figues et les bananes.

DES SOURCES THERMALES D'UN GENRE PARTICULIER

Quand le trajet, que les eaux d'une source thermale suivent avant de jaillir à la surface, est tortueux ou obstrué par endroits, cette source a un comportement curieux. Au lieu d'avoir un débit régulier, l'eau jaillit par intermittences et avec violence, prenant l'aspect d'un jet d'eau puissant, puis disparaît. Une telle source est un geyser.

Voici comment s'explique l'activité irrégulière des geysers. Après avoir été lancée très haut en l'air, l'eau retombe sur le sol et s'y infiltre par des fissures. Elle revient à la cheminée ou conduit principal, où elle séjourne pendant un temps et où elle s'échauffe d'autant plus vite qu'elle est proche du magma. Quand le conduit est partiellement bouché ou très tortueux, l'eau ne peut y circuler librement et monter vers la surface, comme elle le ferait dans une chaudière. Elle atteint son point d'ébullition sans pouvoir se mettre à bouillir, à cause de la forte pression qu'elle subit. En effet, s'il faut davantage de chaleur pour faire fondre la roche sous une forte pression, il en faut aussi davantage pour faire bouillir l'eau, dans ces mêmes conditions.

Entre-temps la couche d'eau en contact avec la roche brûlante atteint une température assez élevée pour se vaporiser. Des bulles se forment, qui montent et poussent l'eau, qui débordera un peu à la surface, allégeant le poids de la colonne de liquide. Cette diminution de pression permet la formation d'une plus grande quantité de vapeur et de bulles. En s'échappant vers l'extérieur, celles-ci réduisent encore la pression, une plus grande quantité de vapeur se forme et le phénomène se répète jusqu'à ce que la pression des couches supérieures soit assez réduite pour permettre à l'eau surchauffée de se vaporiser. Cela se produit brusquement et la vapeur jaillissant du conduit entraînera toute l'eau qui s'y trouve.

La hauteur du jet, la quantité d'eau et la fréquence des éruptions dépendent de la profondeur, de la forme et des ramifications du conduit principal. Certains geysers jaillissent à 30,50 ou même

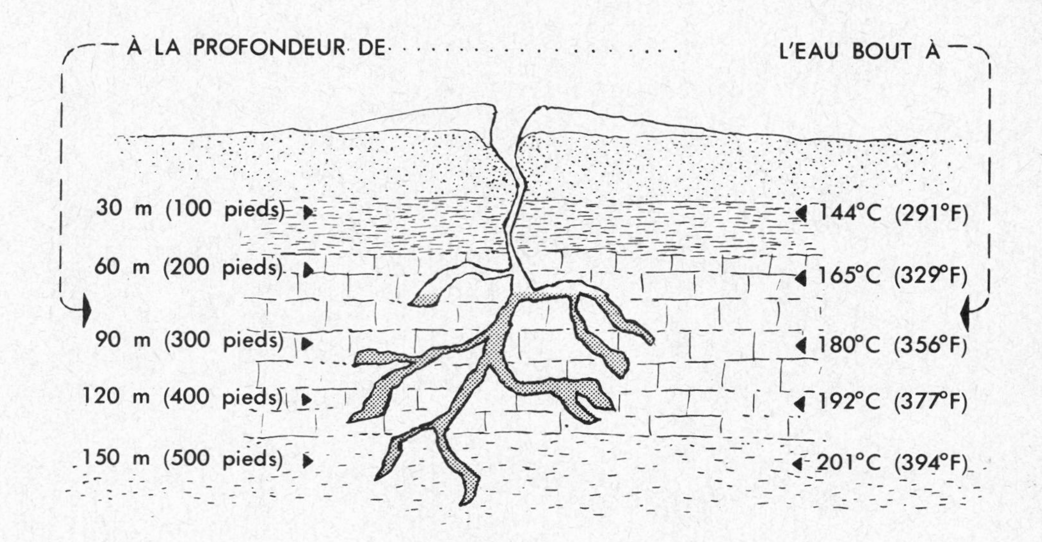

Diagramme d'un geyser

70 m (100 à 200 pieds) en l'air, d'autres, à peine au-dessus du sol; les uns ont des éruptions rapprochées de faibles quantités d'eau, d'autres lancent pendant des heures des quantités d'eau suffisant aux besoins de toute une ville; certains ont une activité irrégulière alors que celle des autres a l'air de suivre un horaire. Le plus connu de ce genre est le geyser Old Faithful (le vieux fidèle), du Parc de Yellowstone aux Etats-Unis: ses éruptions sont annoncées par haut-parleur, quelques minutes avant qu'elles ne se produisent toutes les 65 minutes, l'eau jaillissant à une quarantaine de mètres (140 pieds) de haut, pendant 4 minutes. C'est un spectacle extraordinaire.

Le Parc national de Yellowstone est la région du monde la plus riche en geysers. Il sont aussi très nombreux et intéressants en Islande et en Nouvelle-Zélande.

Eruption du geyser Old Faithful

U.S. DEPT. OF THE INTERIOR, NATIONAL PARK SERVICE

CONSULTAT GÉNÉRAL D'ISLANDE

Canalisation d'eau chaude
vers Reykjavik, en Islande

WITKIND, U.S. GEOLOGICAL SURVEY

La vallée de la rivière Madison après le tremblement de terre du 17 août 1959

LES SÉISMES PEUVENT CHANGER LA FACE DU GLOBE

La rivière Madison sort du Parc de Yellowstone, entre dans l'Etat de Montana et se jette dans le Missouri. Des terrains de camping jalonnent ses berges. L'un d'entre eux, le terrain de Rock Creek, a disparu depuis le 17 août 1959, enterré sous une avalanche de rochers, qui ont bloqué la rivière pour former à cet endroit un nouveau lac.

Ce jour-là, un peu avant minuit, un tremblement de terre se produisit et modifia l'aspect de la rivière et de sa vallée: c'est ainsi que l'Earthquake Lake remplaça le terrain de camping, des falaises s'élèvent là où il n'y avait qu'une plaine et un rocher abrupt marque l'endroit de l'effondrement d'un pan de montagne de 400 m (1 300 pieds), dans le lit de la rivière.

Les tremblements de terre, ou séismes, ont souvent modifié le relief de la Terre. Ainsi, près des côtes du Japon, les séismes ont, sur une période de 2000 ans, élevé les terrains d'environ 15 m (45 pieds). Dans la baie de Yakutat, en Alaska, des forêts entières ont été englouties par l'océan au cours d'une série de tremblements de terre, entre le 3 et le 29 septembre 1899. Une étendue de 12 000 km^2 (30 000 milles carrés) des Etats Missouri, Tennessee et Arkansas s'est affaissée de 3 m (15 pieds) au cours d'une série de séismes, en 1811, qui ont également déterminé la formation du lac Reelfoot. En 1960, le Chili a été dévasté par des tremblements de terre successifs, entre le 21 mai et le 20 juin: des pans de montagne se sont effondrés engloutissant des villages entiers, un nouveau volcan est apparu dans la province de Cautin. Toutefois, le fond de l'océan est encore plus bouleversé par les séismes que les continents.

Mais quelle est leur cause et où se produisent-ils le plus souvent?

LORSQUE LA ROCHE SE DÉPLACE

Pour étudier les causes des séismes, les géologues ont fait des expériences au laboratoire. Ils ont constaté que, soumises à de fortes pressions, les roches se déforment, puis se fendent ou cassent et changent de position, pour mieux résister à l'effort de compression qui s'exerce sur elles.

Les géologues savent que ce phénomène se produit dans les zones rocheuses et détermine des séismes. Les spécialistes de la séismologie, science des tremblements de terre, ont établi que ceux-ci ont lieu, pour la plupart, dans l'écorce terrestre, entre 8 et 32 km (5 à 20 milles) de profondeur, et que les déplacements de roche

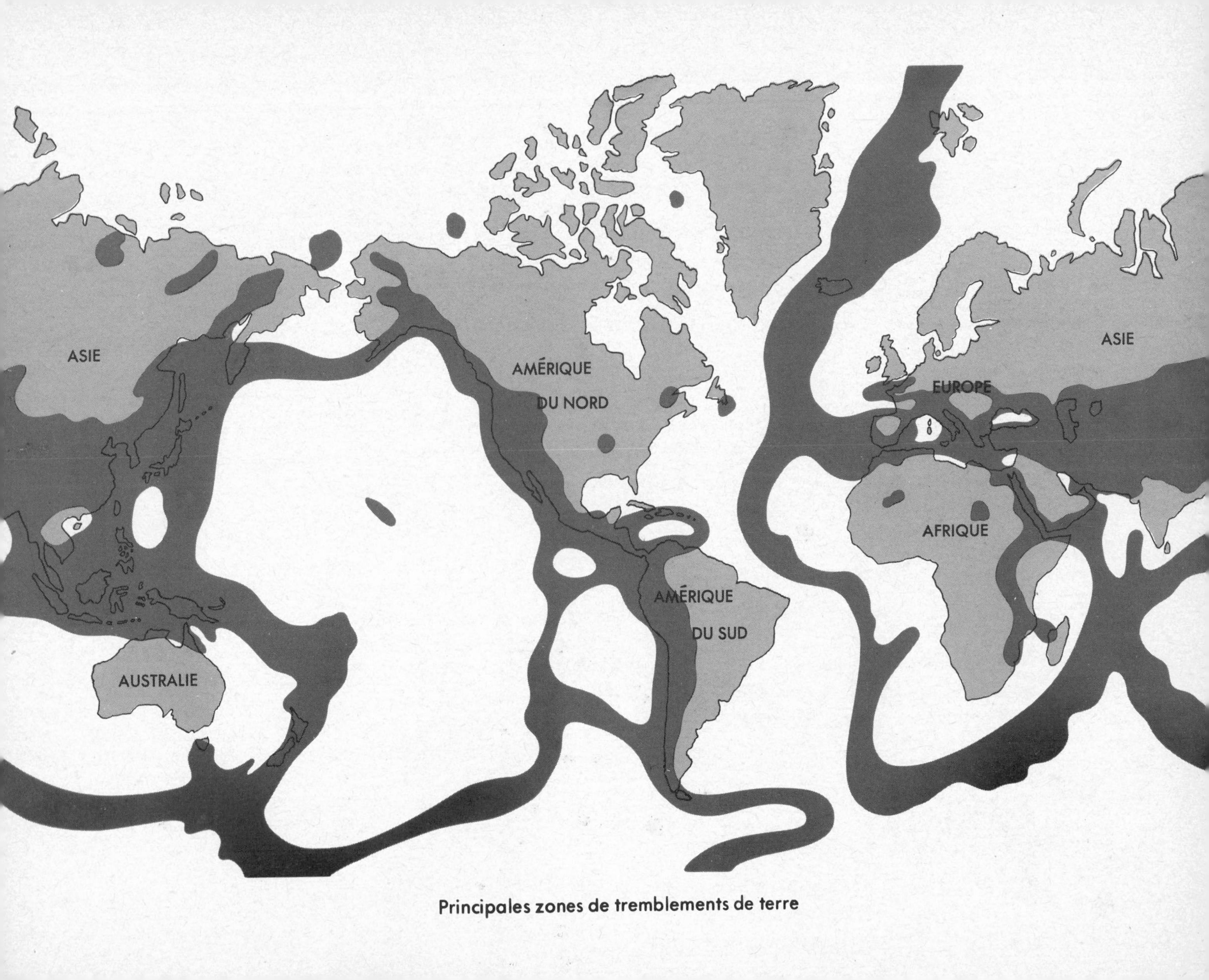

Principales zones de tremblements de terre

surviennent le plus souvent le long des fissures ou failles de l'écorce, failles généralement proches des hautes montagnes, surtout si elles surplombent une mer profonde.

L'une des deux grandes régions séismiques du globe correspond au cercle de feu du Pacifique. Près des 80% des tremblements de terre des 20 dernières années se sont produits dans cette région, sur la terre ferme ou au fond de l'océan. Les autres ont eu lieu suivant une ligne est-ouest, allant du Mexique aux monts du Caucase en Europe et passant par l'Amérique centrale, les Alpes, le bassin méditerranéen et la Grèce. Une grande partie de cette zone renferme aussi des volcans; elle se prolonge en Asie, dans l'Iran, la chaîne de l'Himalaya et la Birmanie. Il y a encore une petite région séismique dans l'Atlantique, voisine elle aussi d'une zone de volcans. En effet, les volcans se trouvent généralement dans les régions séismiques et les géologues estiment que c'est parce que les failles de la croûte terrestre permettent au magma d'arriver à la surface.

Il y a tous les ans plus de 600 tremblements de terre assez perceptibles pour être étudiés; des milliers d'autres sont si faibles que seuls les séismographes peuvent les déceler.

Mais, voyons d'abord comment les ondes séismiques se propagent.

ONDES DE CHOC DUES AUX SÉISMES

Une roche qui se fend ou glisse déclenche trois genres d'ondes, qui se propagent à l'intérieur ou à la surface de la Terre: deux partent simultanément du foyer (point à l'intérieur de la Terre où se produit le glissement de la roche), la troisième qui se propage en surface est due aux deux autres. Les deux premiers trains d'ondes se déplacent à des allures différentes. La première onde, que le séismographe enregistre d'abord, l'onde P, se propage à une vitesse de 7,5 à 14 km (5 à 9 milles) par seconde, refoulant et comprimant tout ce qui se trouve sur son passage. Cette onde P se propage à travers les solides, les liquides et les gaz, qui retrouvent leur place après son passage, par compressions et dilatations successives; elle est aussi appelée onde longitudinale ou de condensation.

La deuxième onde qui arrive au séismographe, l'onde S ou onde de cisaillement, ébranle la roche perpendiculairement à son passage, qui s'effectue à la vitesse de 4 à 7,5 km (2.5 à 4.5 milles) par seconde; elle ne se propage qu'à travers les solides et se perd dans les corps liquides.

Le troisième type d'ondes, désignées par la lettre L, est celui des ondes superficielles ayant une période vibratoire plus longue et se propageant à la vitesse constante d'environ 4 km (2.5 milles) par seconde. Les ondes L, ou ondes longues, permettent d'évaluer la violence d'un tremblement de terre mais non pas de le localiser. A l'aide des ondes P et S, enregistrées par le séismographe, les hommes de science déterminent l'épicentre d'un séisme (le point de la surface situé directement au-dessus de son foyer).

IMPORTANCE DU SÉISMOGRAPHE

Ce nom dérive de deux mots grecs (*seismos*, secousse, et *graphein*, écrire) et désigne un instrument qui enregistre les moindres secousses du sol.

C'est en 136 av. J.-C. qu'un inventeur chinois, du nom de Choko, eut l'idée d'un appareil destiné à détecter les séismes.

Séismographe de Choko

L'appareil de Choko consistait en une boule de cuivre évidée, reposant sur une base placée à même le sol, en terrain plat. Un poids lourd était suspendu à l'intérieur et, tout autour, à égale distance, il y avait huit têtes de dragons à la bouche ouverte, dont la langue portait une bille en cuivre. Sous chacune des têtes, il y avait un crapaud en bronze, aux mâchoires béantes. L'instrument était ainsi conçu que la moindre secousse séismique faisait osciller le poids qui faisait tomber une bille de la gueule du dragon dans celle du crapaud placé en dessous. L'invention de Choko ne donnait pas d'indications très précises, mais révélait tout de même le moment où un tremblement de terre avait eu lieu et sa direction approximative, par rapport à l'instrument. Une reproduction du séismographe de Choko se trouve à l'Institut de séismologie de l'Université impériale de Tokyo, au Japon.

Le premier séismographe fut mis au point à la fin du siècle dernier. Il se composait de deux parties: un poids, suspendu par un ressort métallique à un cadre solidement fixé à l'assise rocheuse du terrain et portant une plume fine; un cylindre, animé d'un mouvement de rotation, entouré d'une feuille de papier réglé. Le tout était disposé de façon à ce que la plume ne fasse qu'effleurer le papier entourant le cylindre.

Le fonctionnement de l'appareil était le suivant: en temps normal, la plume traçait une ligne droite, ou presque, sur le papier qui se déroulait devant elle mais, à la moindre secousse séismique, le cylindre ainsi que le cadre auquel le poids était suspendu tremblaient aussi, alors que le poids lui-même restait immobile. Cela, parce que le ressort absorbait une bonne partie de la secousse et en raison de sa force d'inertie, qui est la résistance que les corps opposent au mouvement et qui est proportionnelle à leur masse. (Suivant l'une des lois énoncées par sir Isaac Newton, il faut une très grande force pour imprimer un mouvement à un corps au repos.) En conséquence, la plume fixée au poids restait elle aussi immobile alors que le cylindre tremblait; la ligne qu'elle y traçait était une ligne ondulée, proportionnelle aux secousses imprimées au cylindre; c'était donc l'enregistrement d'un tremblement de terre.

Le séismographe moderne est un peu différent et bien plus sensible. Le principe est toujours celui du ressort suspendu à un cadre et portant un poids; lorsque la terre tremble, l'ensemble tremble aussi, mais le poids reste immobile. Sous ce poids, deux aimants, fermement attachés au cadre, bougent en même temps que ce dernier; le poids porte une bobine de fil métallique aux extrémités reliées à un galvanomètre d'un type spécial: il n'a pas d'aiguille mais est muni d'un miroir, dans lequel un rayon lumineux, aussi fin qu'un

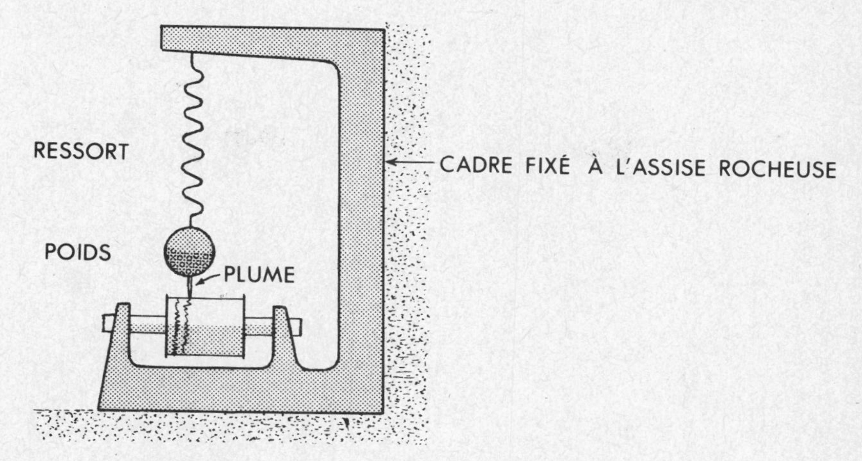

Ci-dessus: schéma d'un des premiers séismographes; ci-après: schéma d'un séismographe moderne.

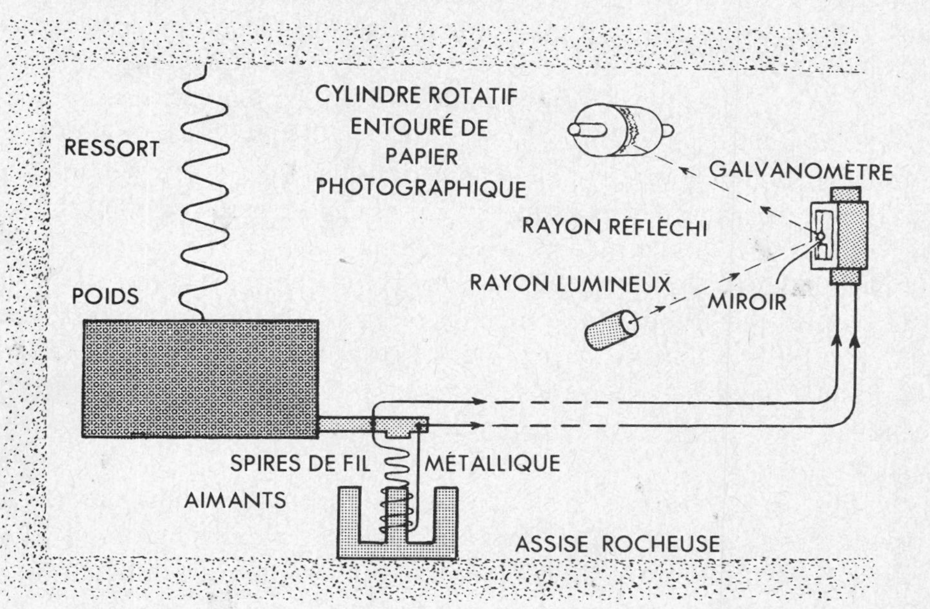

cheveu, se reflète constamment. La seconde partie du séismographe se compose du galvanomètre et d'un cylindre rotatif, entouré de papier photographique, placé à une certaine distance. Le tout est gardé dans l'obscurité ou éclairé à la lumière inactinique (rouge ou orangée). Le cadre et le poids, eux, se trouvent au grand jour.

En tout temps, le rayon lumineux est réfléchi par le miroir du galvanomètre et est projeté sur le papier sensible à la lumière, y traçant une ligne, à peu près droite en période calme, que les révélateurs photographiques feront apparaître. Dès la moindre secousse, l'assise rocheuse tremble, transmettant le mouvement au cadre et aux aimants; le cadre et la bobine de fil métallique restent immobiles. Les secousses de l'aimant à proximité du fil métallique génèrent un faible courant électrique, qui passe dans les spires de la bobine et arrive au galvanomètre. Celui-ci amplifie l'intensité du courant qui arrive à faire bouger le miroir, comme il le ferait pour l'aiguille d'un appareil usuel. Le rayon lumineux réfléchi par le miroir se déplace aussi et trace sur le papier photographique une ligne, dont les ondulations sont synchrones des vibrations du lit rocheux (même amplitude, mêmes intervalles de temps). Les révélateurs photographiques font ensuite apparaître sur le papier les ondes P et S.

Les séismographes sont généralement installés dans des voûtes souterraines, où il est plus facile de les fixer par du béton au lit de roche. Certains sont tellement sensibles qu'ils enregistrent le moindre choc, tel le passage d'une araignée dans leur voisinage. Les vagues venant se briser contre le rivage causent des oscillations périodiques, qui s'impriment sur le papier.

U.S. COAST ET GEODETIC SURVEY

Une station séismologique moderne

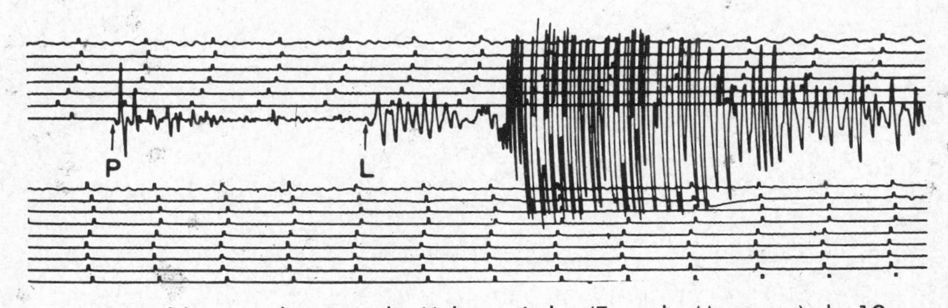

Le tremblement de terre de Hebgen Lake (Etat de Montana), le 18 août 1959, fut enregistré à Sitka, en Alaska, à une distance approximative de 2 135 km (1 325 milles).

TEXAS INSTRUMENT CO.

Séismographe prêt à être installé au fond de l'océan. La grosse boule, à droite, est une balise.

L'échelle de Rossi-Forel a été établie pour classer les tremblements de terre suivant leur intensité, leur violence. Les séismographes sont perturbés environ une fois par heure, mais les grands tremblements de terre ne surviennent que tous les six ou sept jours. Comme près des deux tiers se produisent sous les mers, et beaucoup d'autres dans des régions inhabitées, une perturbation séismique n'est pas toujours alarmante.

REPÉRAGE D'UN SÉISME

Quand un spécialiste veut localiser l'épicentre d'un tremblement de terre, que son séismographe vient d'enregistrer, il ne peut le faire d'après les seules données de l'instrument, ni d'après les rapports écrits. Le séismographe ne le renseigne que sur le moment où les ondes P et S ont atteint la station et sur leur intensité respective.

Pour le repérage d'un épicentre, il faut d'abord trouver la différence entre les moments d'arrivée des ondes P et S. Supposez qu'une onde S atteigne une station, à New York, à 10 heures et demie du soir, 4 minutes 42 secondes après une onde P. Le spécialiste consultera une table qui indiquera une distance à 3 200 km (2 000 milles) de là; il connaît donc la distance de l'épicentre mais non pas la direction où il se trouve.

Il devra donc faire appel à deux autres stations séismologiques, à San Francisco et à Rio de Janeiro, par exemple, en leur demandant la distance indiquée pour le tremblement de terre enregistré à la même heure, qu'à New York, très exactement. Lorsqu'il saura que cette distance est de 6 000 km (3 800 milles), pour San Francisco, et de 5 600 km (3 500 milles), pour Rio, il tracera autour des trois villes, sur la carte, des cercles, dont les rayons seront proportionnels aux distances indiquées. Le point où les trois cercles s'entrecoupent sur la carte marque l'épicentre du séisme, dans notre exemple, non loin de la République dominicaine.

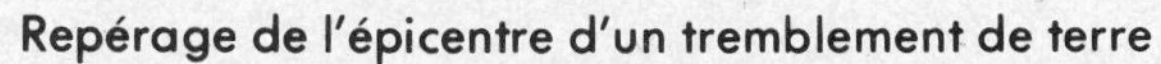
Repérage de l'épicentre d'un tremblement de terre

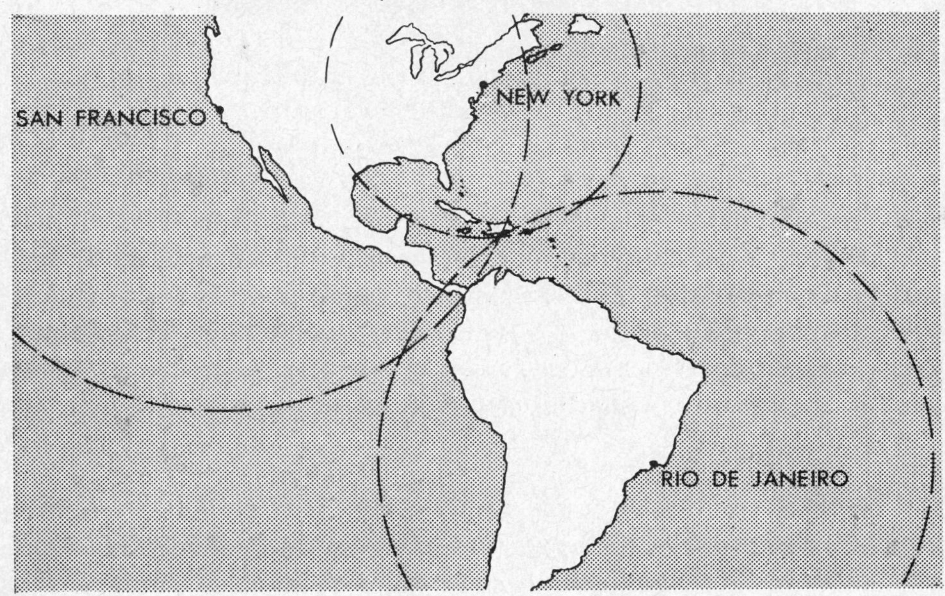

De nos jours, presque tous les pays ont une station séismologique centrale, où arrivent tous les renseignements recueillis sur l'ensemble du territoire et où l'on trace les cercles et fait les calculs nécessaires au repérage d'un épicentre, ce qui est un procédé beaucoup plus efficace.

Parfois les spécialistes signalent un tremblement de terre dont la nouvelle n'arrive même pas à la presse; en effet, la plupart ne sont pas mentionnés, parce qu'ils ne causent ni dégâts matériels ni pertes de vies humaines.

Le séismographe localise les tremblements de terre et en évalue la gravité, mais, si précis soit-il, il ne peut prévoir les secousses séismiques. Parfois un grondement sourd se fait entendre quelques instants avant le séisme, mais, dans les régions menacées, personne n'a le temps de se mettre à l'abri.

Le seul avertissement qu'un séismographe puisse donner est celui de l'approche d'un raz de marée, qui est une vague gigantesque, due à une secousse sous-marine, et dont le nom n'est d'ailleurs pas approprié, car cela n'a rien à voir avec les marées. C'est pourquoi on désigne ce phénomène, aujourd'hui, de son nom japonais de tsunami. Il est causé par une cassure du fond rocheux de l'océan, qui provoque la montée d'une grosse vague au-dessus de la faille, et s'observe surtout dans le Pacifique. En pleine mer, le tsunami ne cause pas de désastre, mais il avance à la vitesse de 650 à 800 km (400 à 500 milles) à l'heure sur d'énormes distances et s'amplifie au fur et à mesure. S'il atteint le rivage, il s'annonce par un brusque retrait de la mer suivi de véritables montagnes d'eau, hautes de dizaines de mètres (une centaine de pieds), qui déferlent et causent d'effroyables ravages. Des stations interconnectées, situées sur les bords du Pacifique, permettent d'en prévoir l'arrivée.

Heureusement, les tremblements de terre ne causent pas tous des tsunamis! Aujourd'hui une station séismologique ayant repéré une secousse sous-marine lance un avertissement; les spécialistes calculent la distance et la vitesse à laquelle le tsunami se déplace, en raison de la violence du séisme et de la profondeur de l'eau à l'épicentre, car la vitesse de propagation est fonction de la profondeur marine.

AUTRES USAGES DU SÉISMOGRAPHE

L'étude des ondes séismiques a permis aux hommes de science d'obtenir bien des renseignements sur l'intérieur de la Terre.

Ils ont calculé la profondeur atteinte par les ondes séismiques qui doivent parcourir une certaine distance en surface, à partir de l'épicentre. Ils ont établi que, si le séismographe indique un tremblement de terre à 2 400 km (1 500 milles) de là, les ondes auront pénétré à 480 km (300 milles) de profondeur; si l'épicentre se trouve à 11 200 km (7 000 milles), les ondes ont une profondeur de 2 880 km (1 800 milles). A partir de cette profondeur, un fait curieux arrive: les ondes P ralentissent et changent de direction, les ondes S disparaissent. A la profondeur de 5 000 km (3 160 milles), on enregistre une accélération des ondes P.

On se rappellera que les ondes P se propagent à travers tous les corps, solides, liquides ou gazeux, mais elles changent de vitesse et de direction lorsqu'elles passent de l'un à l'autre. Il doit donc y avoir un état différent de la matière à la profondeur de 2 880 km (1 800 milles), car non seulement les ondes P sont ralenties et déviées, mais les ondes S (qui ne se propagent qu'à travers les solides) disparaissent; ce milieu est donc liquide. L'étude des ondes P a également permis d'établir que le noyau de la Terre — à partir

SHELL OIL COMPANY

Le séismographe est enfoui en terre, pour permettre de localiser la roche pétrolifère.

de 5 000 km (3 160 milles) de profondeur—est solide et plus dense que l'écorce et le manteau.

Le séismographe est également utile aux géologues, pour étudier la composition des terrains et pour établir la présence de gisements de pétrole.

Lorsqu'on pense qu'une région est pétrolifère, on y creuse un certain nombre de trous d'environ 15 m (50 pieds) de profondeur et l'on y place des charges d'explosif; on place à proximité des séismographes portatifs, qui enregistreront les ondes déterminées par l'explosion de la dynamite. Le géologue habitué à l'interprétation de tels séismogrammes pourra en conclure à la présence ou à l'absence du pétrole.

Le séismographe peut aussi déceler les expériences nucléaires souterraines. Les hommes de science savent différencier les ondes séismiques de celles qui résultent d'une explosion atomique souterraine. Ils disent que cela devrait mener à une entente internationale, pour mettre fin à ce genre d'expériences.

QUAND LA TERRE TREMBLE

Imaginez une ville, où chacun vaque à ses affaires paisiblement, quand soudain le sol se met à trembler, à tressauter. Dans une avalanche de briques, de poutres, les bâtiments s'écroulent, ne pouvant résister à l'effort que leur impose le séisme. Des incendies s'allument que, dans l'affolement général, nul ne songe à combattre. Enfin, ce qui reste de la ville est englouti, impitoyablement, dans les flots d'un tsunami.

Ce n'est pas là une description fantaisiste, c'est celle de la capitale du Portugal, Lisbonne, le 1er novembre 1755, date d'un tremblement de terre, des plus destructeurs de l'histoire. L'épicentre en était à Lisbonne même, mais près de la moitié du continent européen fut secouée. A 1 600 km (1 000 milles) de là, les chandeliers se balancèrent dangereusement au-dessus des têtes, les eaux du Loch Lomond, en Ecosse, comme celles des canaux de Hollande étaient tellement agitées que plus d'un grand navire rompit ses amarres. Les gens de l'époque, superstitieux et ignorants des causes des séismes, crurent la fin du monde arrivée.

On est plus renseigné de nos jours; on en est même arrivé à ne guère se préoccuper des tremblements de terre, à les considérer comme des événements tout à fait ordinaires. Cela est particulièrement frappant dans l'ouest des Etats-Unis, dans la région de la faille de San Andreas, qui est une vallée large de 800 à 1 600 m (0.5 à 1 mille) de large, partant du nord de la ville de San Francisco et se dirigeant vers le sud-est, sur 1 000 km (600 milles) de distance. Cette faille est un défaut de la croûte terrestre, affleurant à la surface, et les séismes sont nombreux le long de ce point faible. Sur une route suivant cette faille, il n'est pas rare d'être arrêté par des travaux de réparation de la chaussée, qui s'est boursouflée ou effondrée sous les coups de bélier d'un séisme.

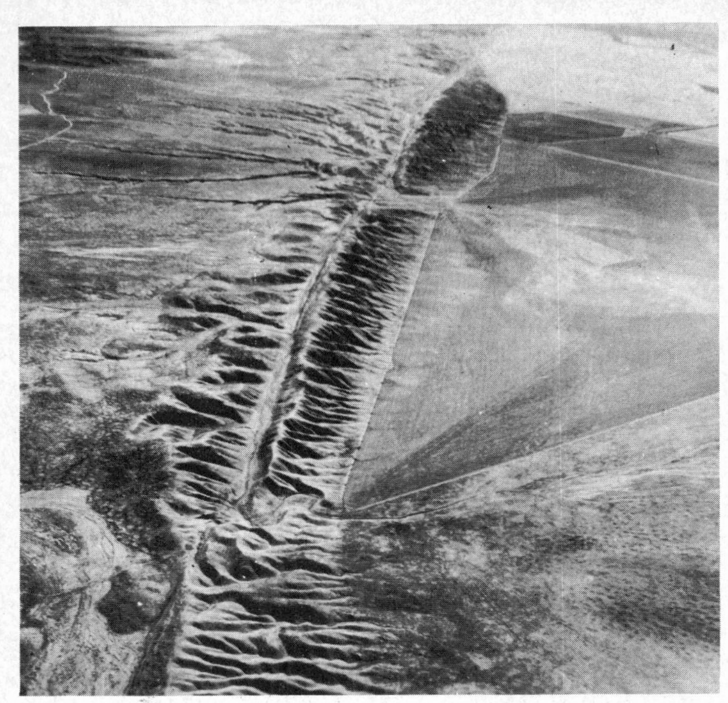

BAISLEY, U.S. GEOLOGICAL SURVEY

Vue aérienne de la
faille de San Andreas

GILBERT, U.S. GEOLOGICAL SURVEY

Route affaissée et déviée par
le tremblement de terre de 1906,
en Californie

Crevasses et failles dues au tremblement de terre de 1906, en Californie

GILBERT, U.S. GEOLOGICAL SURVEY

STACY, U.S. GEOLOGICAL SURVEY

Clôtures tordues par le tremblement de terre de 1959, dans le Montana

Il arrive qu'une crevasse s'ouvre et se referme aussitôt, mais, en dépit de ce qu'on a pu raconter, personne n'y a jamais été englouti, car on a toujours le temps d'en sortir. Une pauvre vache tomba pourtant un jour, la tête la première, dans une crevasse qui s'ouvrit à ses pieds, dans la région de la faille San Andreas, et, avant qu'elle ne s'en sorte, la crevasse se referma, laissant dépasser la queue de l'infortuné ruminant.

Le tremblement de terre le plus grave, survenu dans cette région, fut celui de San Francisco, en 1906. La ville n'était plus qu'un immense brasier, alimenté par les fuites de gaz des conduites éclatées et que les pompiers ne pouvaient combattre par manque d'eau. Lors des travaux de reconstruction de la ville, un système de soupapes fut mis en place, pour prévenir la baisse de la pression de l'eau en cas de désastre majeur, comme celui-là.

Les architectes ont tiré d'importants enseignements du cataclysme de San Francisco. Peu après, l'architecte américain Frank Lloyd Wright fut appelé à faire le plan d'un grand hôtel à Tokyo. Il conçut un édifice à charpente métallique, pouvant suivre les oscillations du terrain en cas de séisme. Malgré l'opposition des propriétaires, il insista pour qu'il y ait devant l'hôtel un grand bassin d'eau.

L'hôtel Impérial était à peine achevé que l'un des tremblements de terre les plus destructeurs de l'histoire du Japon ravagea Tokyo. L'édifice de Wright et quelques autres constructions à charpente métallique furent les seuls à rester debout. De plus, Wright se trouva avoir eu raison en insistant sur la construction du bassin

GILBERT, U.S. GEOLOGICAL SURVEY

Une rue de San Francisco, après le tremblement de terre de 1906

ornemental devant l'hôtel, car, lorsque le feu s'y déclara, l'eau nécessaire à combattre l'incendie se trouvait là.

Dans les régions séismiques, on tâche de limiter le désastre en évitant les constructions massives, aux murs épais, en briques ou en pierre, à la lourde toiture de tuiles, qui s'écroulent dès que les secousses atteignent une certaine amplitude. On préfère les petits édifices légers, comme les maisons japonaises, ou des immeubles à la charpente métallique, suivant la conception de Frank Lloyd Wright, solidement campés sur l'assise rocheuse: les gratte-ciel américains, résistants aux tremblements de terre, en sont le meilleur exemple.

On ne peut ni éviter ni maîtriser les forces de la nature, comme les éruptions des volcans ou les tremblements de terre, on ne peut qu'essayer d'en atténuer les conséquences. Leur activité constante a beaucoup contribué à modeler le globe terrestre et continuera à en modifier le relief indéfiniment.

Eruption du Sakurajima (Kyu Shu, Japon), en 1946.

COURTOISIE DE S.W. BAILEY, UNIV. DU WISCONSIN

CL. OFFICE NATIONAL SUISSE DE TOURISME

Des alpinistes remontent le glacier Morteratsch, en Suisse. A leurs pieds, une crevasse béante.

LES GLACIERS

par REBECCA B. MARCUS
version française par ANDRÉ SAINT-PIERRE

CONGÉLATION DE LA NATURE

Vous n'aurez sans doute jamais l'occasion d'offrir à votre chien de la viande de mammouth, animal géant à toison laineuse dont l'espèce disparut de la Terre il y a 10 000 ans et qui fut l'ancêtre des éléphants d'aujourd'hui. Ce privilège fut cependant accordé à des explorateurs européens du siècle dernier, qui trouvèrent en Sibérie des cadavres congelés de mammouths. Les chiens de l'expédition apprécièrent la saveur de cette chair préhistorique et, surtout, n'en subirent aucun effet nocif. Il appartenait aux géologues, savants qui se consacrent à l'étude de la surface de notre globe, d'expliquer comment des êtres vivants avaient pu être ainsi emprisonnés dans la glace.

Sans pouvoir encore en connaître la cause exacte, les géologues savent qu'à une époque fort lointaine, le climat de la Terre s'est brusquement refroidi. D'énormes amas de glace se formèrent à la surface de notre planète, surtout dans les régions polaires.

Puis toute cette masse glaciaire se mit en mouvement; elle s'étendit lentement vers le sud, ensevelissant les animaux qui se trouvaient pris au piège dans les crevasses du sol. On a déterminé que les mammouths retrouvés en Sibérie avaient péri il y a 10 000 ans, il en résultait par conséquent que les glaces qui les recouvraient étaient aussi anciennes.

LA PÉRIODE GLACIAIRE

Imaginez-vous des hivers toujours plus froids, des étés toujours plus courts, puis plus d'été du tout? C'est ce qui a dû se produire pendant l'ère pléistocène (environ un million d'années avant nous). La glace venant du nord chassait devant elle les êtres humains et les animaux, forcés de chercher au sud des climats plus tempérés.

Il fut un temps où la presque totalité de l'hémisphère nord de la Terre était recouverte de glace (période glaciaire). Les territoires ainsi ensevelis comprenaient, en Amérique, à peu près tout le Canada et les Etats-Unis au nord du fleuve Ohio, et du côté européen, toute la Scandinavie, les Pays-Bas, l'Allemagne du Nord, les îles Britanniques et une large partie de la Pologne et de la Russie.

Pendant cette période glaciaire, il semblerait que le climat ait été soumis à diverses fluctuations. Parfois, la Terre se réchauffait et les hommes et les animaux remontaient temporairement vers le Nord, d'où ils étaient de nouveau chassés un peu plus tard.

Ce phénomène s'est apparemment produit au moins quatre fois au cours de l'ère pléistocène, la dernière avance glaciaire, datant de 75 000 ans s'est probablement poursuivie pendant 50 000 autres années, puis, lentement, la fonte des montagnes de glace s'est amor-

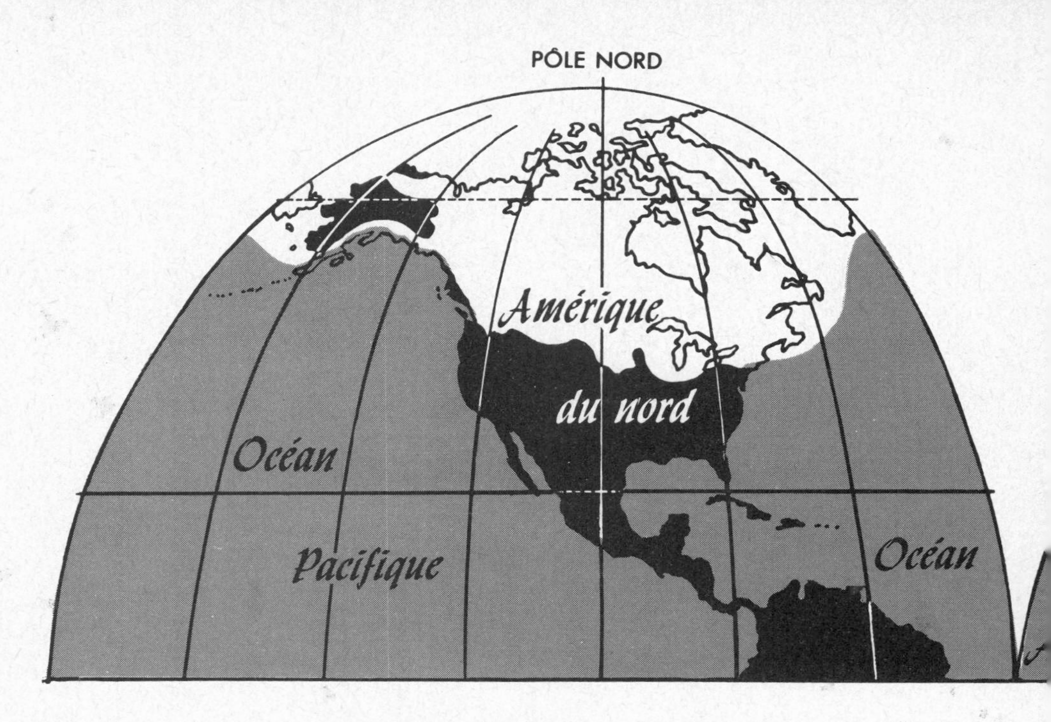

Limites sud de la descente des "inlandsis" de la période glaciaire

cée. Hommes et animaux ont repris leur migration vers le nord, qui cette fois fut durable.

Dans l'ensemble, le climat terrestre est aujourd'hui moins froid, mais des calottes glaciaires existent encore, surtout dans l'Arctique et l'Antarctique.

Bien plus, même si la "période glaciaire" est chose du passé, des névés, ou amas de neige tassée qui se transforme en glace, s'édifient continuellement dans plusieurs parties du monde et commencent ensuite à glisser vers les terres plus basses. Ces énormes amoncellements de glace en mouvement portent le nom de glaciers.

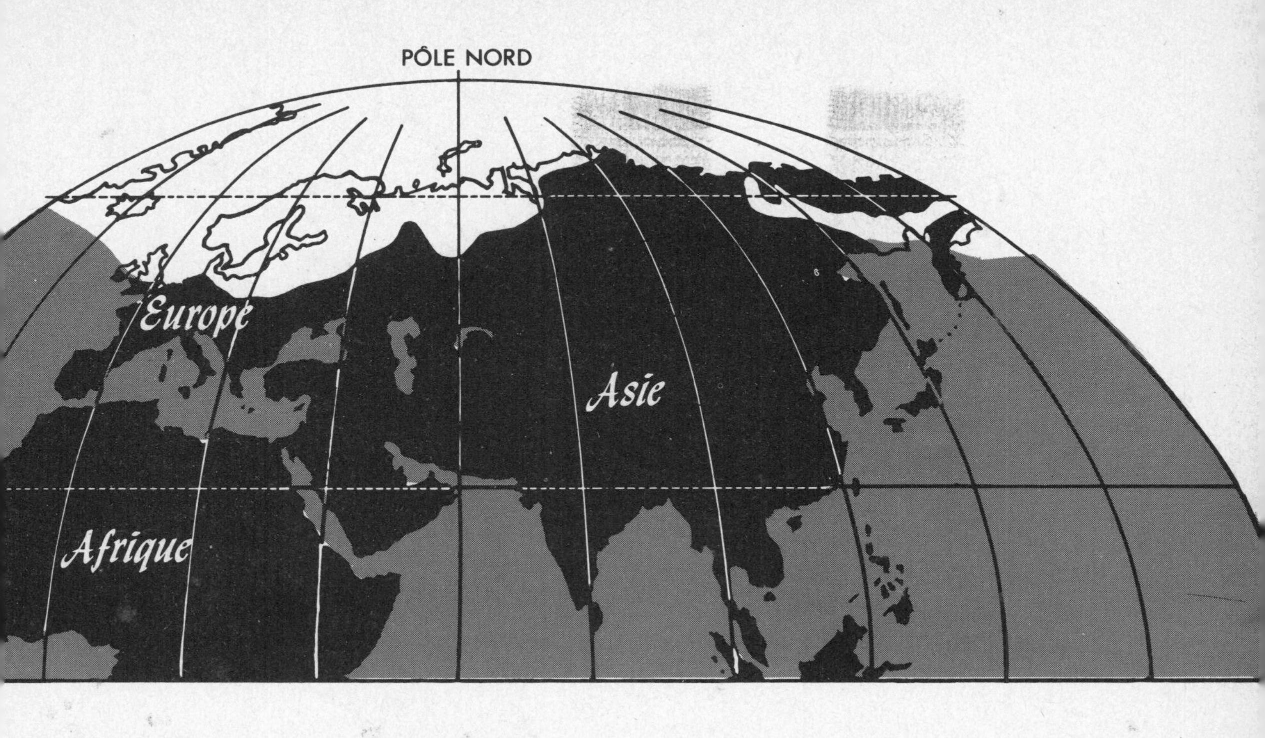

QUELLE PEUT ÊTRE L'ÉTENDUE D'UN GLACIER?

Certains glaciers peuvent recouvrir la majeure partie d'un continent. On les appelle glacier continental, ou encore calotte glaciaire et, plus fréquemment, inlandsis. On les compare à des nappes de glace parce que leurs immenses étendues blanches ont enseveli collines et vallées et que seuls émergent les sommets des plus hautes montagnes.

Il y a plusieurs milliers d'années, un inlandsis de ce genre a recouvert, plus de la moitié de l'Amérique du Nord et une partie de l'Europe et de l'Asie. Aujourd'hui, seuls le Groenland et l'Antarctique sont presque entièrement couverts de glace. Dans les deux cas,

U.S. COAST GUARD

Vue aérienne de l'inlandsis du Groenland

la calotte est si épaisse que l'on ignore la nature exacte et la configuration du sous-sol, qui se trouve à plusieurs kilomètres ou milles sous la surface de la nappe. Au moyen d'une sonde à pointe chauffée, on a, par exemple, réalisé récemment dans l'Antarctique des forages jusqu'à 3 km (2 milles) de profondeur et aucune trace de terre ou de roche ne se trouvait dans les échantillons prélevés.

La plupart des glaciers qu'on voit ailleurs dans le monde sont, par contre, infiniment moins grands que les inlandsis. Beaucoup n'atteignent pas 3 km (2 milles) de longueur. Il en est toutefois de plus vastes, tels le Mont Rainier, aux Etats-Unis: 11 km (7 milles); ou le "Grand Aletsch", en Suisse: 16 km (10 milles). Le plus long de tous les glaciers connus est celui du Mont Hubbard, en Alaska: 130 km (80 milles).

Petit glacier de l'Alaska

U.S. AIR FORCE

Schéma de la sonde thermique spéciale utilisée dans l'Antarctique

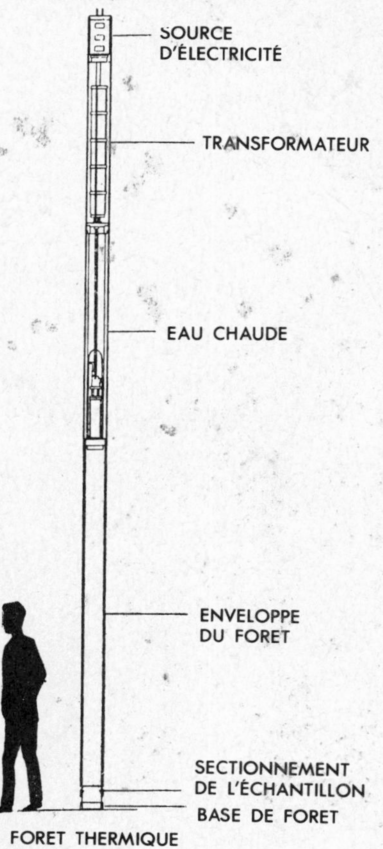

U.S. ARMY ENGINEER CORPS

Prélèvement d'une carotte de glace recueillie par le foret thermique

U.S. ARMY ENGINEER CORPS

Des glaciers, généralement moins étendus, sont situés dans d'étroites vallées creusées par des cours d'eau descendus des hautes montagnes. On les appelle parfois glaciers alpins, parce qu'ils furent tout d'abord étudiés dans les Alpes, ou plus généralement glaciers de vallée.

Ce type de glacier étant très fréquent, et d'un accès facile, il a fait l'objet de nombreuses études de la part des glaciologistes. Ceux-ci se sont attachés à déterminer les conditions de la naissance, de l'existence et de la disparition des glaciers de vallée.

NAISSANCE D'UN GLACIER DE VALLÉE

La formation d'un glacier, c'est-à-dire, la constitution d'une masse de glace en mouvement suppose que certaines conditions soient réalisées au cours de nombreuses années.

Tout d'abord, il faut que le climat soit très froid, qu'il tombe beaucoup de neige et que celle-ci ne fonde pas au printemps suivant mais se conserve jusqu'à la prochaine chute de neige. C'est ce qui se produit couramment dans les zones glaciales de l'Arctique et de l'Antarctique.

Toutefois, cela peut se produire également au sommet des hautes montagnes situées dans le voisinage de l'Equateur. Les cimes sont couronnées de neiges éternelles qui subsistent d'une année à l'autre. Tel est le cas des monts Kenya et Kilimandjaro en Afrique ou du Popocatepetl qui domine Mexico. Au sommet de ces montagnes, la température est si basse que de nombreux glaciers se sont formés et continuent d'exister en dépit des latitudes tropicales ou équatoriales de leur situation géographique.

Chaque année, l'accumulation de la neige tombée au cours de l'hiver précédent et n'ayant pas fondu en été, favorise la formation de champs de neige, de superficie variable, dont certains peuvent s'étendre sur des milliers de kilomètres ou de milles carrés. La plupart de ces champs de neige se constituent dans les dépressions situées au pied d'une montagne ou au fond d'une vallée. Alors que la neige fraîchement tombée est d'une légèreté de plume, celle qui a été exposée au froid pendant un certain temps, sera, à volume égal, beaucoup plus lourde. L'explication de ce fait peut se trouver dans la manière dont on modèle une boule de neige. En effet, après avoir amassé une grosse poignée de neige duveteuse, on comprime fortement celle-ci afin de bien durcir la boule. Au fur et à mesure qu'on la presse, la boule devient plus dure mais aussi plus petite, car ce faisant, on chasse l'air contenu entre les fins cristaux de neige. Et, le volume final de la boule est bien inférieur au volume initial de neige manipulée. Celle-ci est devenue plus compacte; on dit qu'elle s'est tassée.

Après avoir été exposée pendant un certain temps à l'air libre et au froid, la boule de neige devient de la glace. C'est d'une manière analogue, que la couche inférieure d'un tas de neige se transforme graduellement en glace: sous le poids de neige des couches supérieures, il s'effectue une sorte de compression qui chasse l'air contenu dans le tas, et le transforme en un tas de glace.

Pour hâter et faciliter la transformation de grandes quantités de neige en glace, il faut, aussi paradoxal que cela puisse paraître, que la couche supérieure de neige fonde et que l'eau de fonte s'infiltre dans l'entassement et libère ainsi l'air qui y est contenu, rendant la neige d'autant plus dense.

NATIONAL PARK SERVICE

Champ de glace du glacier Sperry (Glacier National Park, U.S.A.)

C'est ainsi qu'après un certain nombre d'années, un champ de neige peut devenir un névé ou champ de glace. Les couches de neige superposées d'hiver en hiver se sont tassées. Quand l'épaisseur de la glace proprement dite aura atteint environ 65 mètres (200 pieds), le champ entreprendra alors sa descente vers la vallée: un glacier sera né.

CAUSES DU MOUVEMENT DES GLACES

Une masse de glace d'une hauteur de 65 mètres (200 pieds), — égale à celle d'un immeuble de 20 étages — est extraordinairement lourde. Imaginez la pression formidable qui s'exerce à la base d'un tel volume, où s'amorce la mise en marche de l'ensemble. C'est la cause principale du décrochage éventuel du glacier, à laquelle s'ajoute l'influence de la force de gravité qui entraîne le champ de glace le long des pentes montagneuses où il s'est formé. Les langues de glace qui descendent ainsi vers les vallées se constituent à partir de la base comprimée de cette énorme masse.

Il faut préciser que les petits cristaux de glace jouent en quelque sorte le rôle d'un roulement à billes. En effet, à la base même les cristaux glissent difficilement sur le sol rocheux; par contre, les couches immédiatement au-dessus se déplacent aisément et forment les langues qui pourront alors entraîner l'ensemble du glacier.

Un autre phénomène contribue à faciliter le déplacement. A l'intérieur de la masse en mouvement, il se produit d'énormes différences de pression et par conséquent de température, qui font alternativement fondre et geler à nouveau la glace. La densité de la masse augmente peu à peu et le glissement déjà amorcé devient de plus en plus aisé.

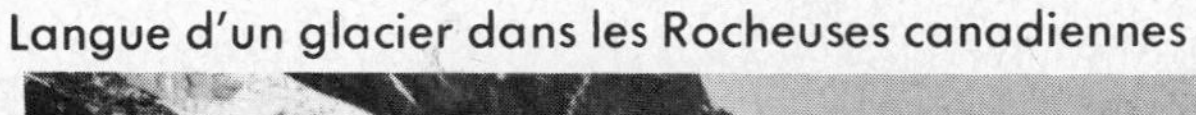

Langue d'un glacier dans les Rocheuses canadiennes

CHEMINS DE FER NATIONAUX DU CANADA

LA VITESSE DE PROGRESSION D'UN GLACIER

Il est difficile pour un observateur de se rendre compte de la progression d'un glacier. Le déplacement de celui-ci est imperceptible, car, compte tenu des conditions climatiques, de l'angle de déclivité des lieux et de l'épaisseur de la formation glaciaire, la marche du glacier peut varier de quelques centimètres (quelques pouces) à quelques mètres (quelques pieds) en vingt-quatre heures.

Les glaciologistes mesurent la vitesse de ce phénomène selon une méthode très simple qui leur permet de déterminer à quel moment un certain secteur du glacier atteindra le fond de la vallée. Ils plantent en ligne droite et d'un bord à l'autre de la langue glaciaire, un certain nombre de piquets dont ils suivent ensuite le déplacement à partir d'un poste d'observation situé à un endroit approprié.

Mode d'évaluation de la vitesse de progression d'un glacier. A noter, à droite, que les piquets indiquent un mouvement plus rapide au milieu du glacier que près des bords.

On relève ensuite la position des piquets par rapport à leur emplacement initial, d'heure en heure ou de jour en jour, et il est ainsi facile de déterminer leur vitesse de déplacement. Les résultats sont consignés sur une carte qui fait ensuite l'objet d'études approfondies.

La vitesse de déplacement du glacier n'est pas constante. En été, la température plus élevée fait fondre la neige de la couche supérieure du champ de névé et une partie des eaux de fonte s'infiltre dans le corps du glacier où elles gèlent de nouveau, provoquant un accroissement du poids et de la vitesse de progression du glacier. Les glaciers se déplacent par conséquent plus rapidement en été qu'en hiver, et pour la même raison, ils peuvent avancer plus vite pendant le jour que pendant la nuit.

AVANCE VARIABLE DES DIVERS SECTEURS D'UN GLACIER

Les premières expériences faites par des glaciologistes au moyen de piquets plantés en ligne droite à la surface du champ de glace, montrèrent que ces points de repère ne restaient pas longtemps alignés. Ceux qui étaient le plus près du centre de la coulée parvenaient au bas de la vallée avant les autres piquets plantés près des bords. Le glacier n'est donc pas un bloc solide voyageant tout d'une pièce.

De plus, grâce aux études qui ont été faites, on sait maintenant que la base du glacier est en quelque sorte freinée par le frottement sur des fonds rocailleux accidentés. Il en résulte que sa progression est ralentie par rapport à celle des couches supérieures de glace.

Le mouvement est également ralenti sur les bords du glacier pour deux raisons: la friction exercée sur les parois rugueuses de la vallée d'une part, et la densité moindre de la nappe de glace à mesure que l'on s'éloigne du centre d'autre part. Il en résulte que la partie du glacier qui glisse le plus rapidement est située au milieu du glacier et à une certaine profondeur, tandis que le secteur le plus lent se trouve à la surface.

La langue s'allonge aux niveaux inférieurs, comme une rivière de glace. Parfois, plusieurs langues similaires arrivent de diverses directions et se rencontrent à un même point pour former un fleuve glaciaire qui descend vers de plus basses altitudes. Et c'est l'arrivée au bas de la vallée, où la température s'adoucit suffisamment pour que la pointe de la langue fonde, formant un lac ou une rivière.

De petits glaciers se déversent dans un plus grand, au Mont McKinley, en Alaska.

U.S. AIR FORCE

Icebergs dans l'océan Arctique, au large du Groenland U.S. NAVY

LES ICEBERGS

Lorsqu'une vallée aboutit sur les côtes de l'océan, la langue de glace devient falaise. Peu à peu, l'eau moins froide de la mer attaque la base de cette falaise et y creuse des cavernes qui s'agrandissent jusqu'au point où, leur toit n'ayant plus de support, se brise et s'effondre dans l'océan où ses débris se mettent à flotter, sous forme de blocs immenses qu'on nomme icebergs.

La plupart des icebergs proviennent des inlandsis du Groenland et de l'Antarctique. Les sept-huitièmes de leur masse sont sous l'eau, ce qui les rend extrêmement dangereux pour la navigation. La collision d'un bateau avec un iceberg provoque généralement une large déchirure de la coque et entraîne souvent le naufrage.

Des patrouilles navales se poursuivent sans arrêt, pour détecter la présence des icebergs en dérive et déterminer leur route, afin de les signaler aux navires croisant dans ces parages. Il arrive aussi que l'on fasse sauter ces dangereux obstacles à la dynamite.

U.S. COAST GUARD

Un navire de patrouille paraît bien petit à côté d'un iceberg

LES GLACIERS DE PIÉMONT

Il ne fait pas toujours assez chaud au pied d'un glacier de vallée pour que la langue glaciaire fonde ou se brise comme un iceberg. Dans l'extrême nord, par exemple, la fonte est à peu près inexistante et, lorsque certaines conditions sont réalisées, la langue prend une forme particulière et devient ce qu'on appelle un glacier de piémont, qui signifie pied de montagne.

Il faut pour cela que la vallée suive une pente très abrupte et se termine dans une plaine large au sol presque horizontal.

Bien que la langue de glace avance assez rapidement, le terrain relativement uni qui accueille le champ glaciaire ralentit sa progression. D'autre part, comme le dégel est peu marqué, la langue du glacier s'étend en éventail dans la plaine. Mais son déplacement est si faible et si lent que le glacier semble complètement figé.

Un glacier de piémont est ordinairement constitué de plusieurs glaciers de vallée issus d'une même montagne. Il couvre donc une superficie beaucoup plus vaste qu'un glacier de vallée. En fait, on pense que les glaciers de piémont sont à l'origine de la formation des inlandsis ou glaciers continentaux. Ceux-ci sont le résultat final d'un processus d'évolution qui commence avec les champs de glace ou de névé donnant lieu à la formation de glaciers de vallée, puis de piémont. Les inlandsis finissent par recouvrir entièrement les montagnes dont ils sont issus.

Actuellement, les plus grands glaciers de piémont sont ceux de Malaspina et de Béring, en Alaska. Si le climat de la Terre se refroidissait encore, les deux glaciers pourraient former une nouvelle calotte glaciaire et provoquer une autre période de glaciation. Car la fonte qui se produit à la base du glacier est largement compensée par la formation de nouvelles couches de glace résultant des dernières chutes de neige.

AU SOMMET D'UN GLACIER

Le spectacle offert par le sommet d'un glacier est assez décevant. La neige tombée l'année précédente est granuleuse, comme celle qui borde les routes de campagne au printemps. Au lieu d'être lisse et luisante, la surface du champ présente un aspect rugueux, craquelé en maints endroits. En été, elle est sillonnée de nombreux petits étangs et de ruisseaux.

On ne peut pas glisser sur un terrain aussi rude, en raison des nombreuses aspérités dues aux parcelles de roches ou autres corps étrangers qui s'y sont incrustés. Mais il faut toutefois faire attention aux failles et aux craquelures.

OFFICE NATIONAL SUISSE DE TOURISME

Des alpinistes explorent un glacier suisse. Au sommet, la surface est rugueuse et sale.

Crevasse glaciaire dans les Rocheuses de l'ouest canadien

SERVICE DES RECHERCHES GÉOLOGIQUES DU CANADA

Ces précipices que l'on trouve dans les glaciers ont un nom spécial. On les nomme des crevasses.

DANGER! CREVASSE!

La plupart des crevasses se forment lorsqu'un glacier se déplace sur des fonds très accidentés ou dans une vallée qui s'affaisse brusquement. Alors que la partie inférieure du glacier épouse les formes du relief, la masse de glace qui constitue le sommet, ne peut en faire autant. En raison de sa progression plus lente, la partie supérieure ne peut s'adapter aux accidents du terrain et se fend.

Il est donc normal de trouver de nombreuses failles, généralement très proches les unes des autres, dans la zone où le glacier se détache du champ de glace et se met en mouvement. Les crevasses ainsi groupées sont nommées *bergschrund*, d'après un mot allemand signifiant montagne craquelée. D'autres crevasses se forment aussi sur les bords de la coulée glaciaire où le mouvement est moins rapide qu'au centre.

Lorsque la crevasse s'est formée, la fonte de la glace sur les parois élargit peu à peu la faille. Certaines crevasses mesurent plus de 10 mètres (30 pieds) de large; leur longueur peut varier d'une centaine de mètres (300 pieds) à plusieurs kilomètres ou milles et elles atteignent parfois une profondeur de 70 mètres (210 pieds).

Il est dangereux d'explorer les glaciers parce qu'il arrive souvent qu'une récente chute de neige dissimule la présence de crevasses et un pas de trop peut précipiter l'alpiniste dans un gouffre.

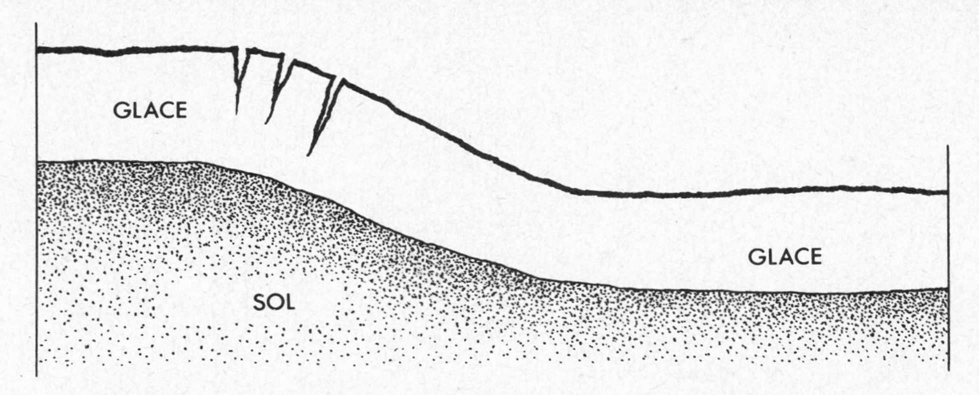

Alors que les couches inférieures d'un glacier épousent la forme des accidents du terrain, les couches supérieures se fendent en formant des crevasses.

LE GLACIER DE GRINNELL

Aux Etats-Unis, les touristes peuvent, sous la conduite d'un guide spécialisé, visiter le glacier de Grinnell, situé dans le Glacier National Park dans l'Etat de Montana. On organise une cordée, semblable à celle des alpinistes. Toutefois, seuls le guide et le membre le plus lourd de l'expédition attachent la corde à leur ceinture. Les autres suivent en tenant la corde comme une rampe. Avant de s'avancer, le guide sonde la solidité du terrain avec un piolet. Les touristes marchent exactement sur ses traces.

Bien entendu, le guide connaît la localisation des crevasses dangereuses et il conduit son groupe là, où, les risques sont peu probables. Il permet parfois aux touristes de sauter au-dessus d'une crevasse étroite. Le danger encouru est insignifiant car chacun s'accroche à la corde d'une main et tient de l'autre la main tendue du touriste qui le précède.

LES FALAISES GLACIAIRES

Outre les crevasses, d'autres risques menacent les explorateurs de glaciers. Ils peuvent notamment se trouver subitement au pied d'une falaise de glace, dont l'origine est semblable à celle des crevasses. Elle est due à la friction qui s'exerce au bas du glacier et qui permet aux couches supérieures de se déplacer plus rapidement. Tôt au tard, une corniche se forme et déborde au-dessus de la masse. Elle finit par s'écrouler en laissant derrière elle un mur coupé presque droit.

AU CŒUR D'UN GLACIER

On s'est demandé à quoi ressemblait la glace enfouie dans les profondeurs d'un glacier. Pour cela, les spécialistes ont dû descendre dans les crevasses et c'est ainsi, qu'ils ont appris, que l'intérieur de la masse n'avait pas le même aspect que la surface.

On a d'abord remarqué la présence de minces couches superposées et alternées de glace propre et de glace sale. L'explication de ce phénomène est relativement simple.

Pendant le printemps et l'été, la glace qui s'est formée dans les craquelures sur les pentes des montagnes, commence à fondre. Ce faisant, elle emporte avec elle des débris rocheux et de la poussière déposée sur la neige tombée durant l'hiver précédent.

Au retour de l'hiver, roches et poussière gèlent de nouveau et forment la strate de glace sale. Bientôt, de nouvelles chutes de neige se produiront et il se formera d'épaisses couches de neige propre qui se transformeront bientôt en glace. L'été suivant provoquera une nouvelle fonte et la constitution d'une nouvelle couche de glace sale.

En mesurant l'épaisseur de la couche de glace propre, il est possible de connaître la quantité de neige tombée au cours des hivers précédents.

Les dispositifs de sondage modernes nous permettent d'extraire des échantillons de glace provenant des niveaux inférieurs des glaciers. En 1956, l'inlandsis du Groenland a fourni un genre particulier de poussière sous-glaciaire qui a suscité beaucoup d'intérêt. Des études approfondies ont révélé qu'il s'agissait d'une couche de glace formée en 1912, année où une éruption volcanique s'était produite en Alaska, et qu'elle renfermait des cendres volcaniques apportées par le vent jusqu'aux champs de glace du Groenland.

ACTION DE L'EAU À L'INTÉRIEUR D'UN GLACIER

Les alpinistes qui courageusement explorent les crevasses font parfois d'étranges découvertes. C'est ainsi qu'ils peuvent voir un ruisseau coulant le long des parois de la crevasse en charriant des fragments de roche et du sable. Les pierres restent au fond de la crevasse où elles sont si violemment agitées par les remous de l'eau qu'elles finissent par y creuser un trou profond.

Cette excavation où l'eau s'engouffre s'appelle un moulin. Les touristes visitant le glacier du Rhône dans les Alpes suisses peuvent y voir un tel moulin.

Alors que certains ruisseaux s'écoulent le long des parois des crevasses et se perdent dans les glaces en arrivant au fond, d'autres se tracent un chemin et se réunissent parfois pour former une rivière sous-glaciaire.

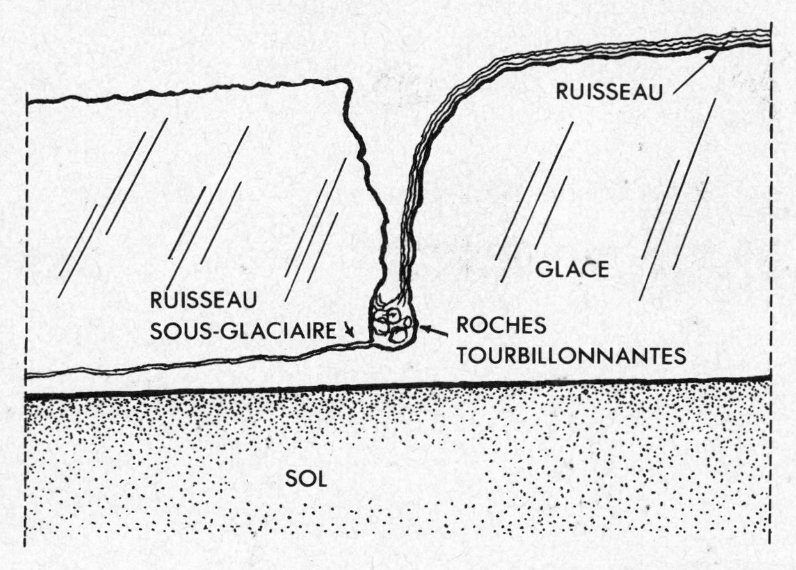

Un moulin glaciaire

En creusant de véritables tunnels, l'eau parvient jusqu'au pied même du glacier et y sculpte de magnifiques cavernes qui sont pour les touristes une source d'émerveillement.

Quelquefois, la rivière disparaît dans les fissures de la glace, mais, le plus souvent, elle descend en cascade dans la vallée. Ses eaux entraînent de petites parcelles de roche pulvérisée qui leur donnent une consistance laiteuse ou farineuse.

Les glaciologistes donnent à cette poussière de roche le nom de farine glaciaire.

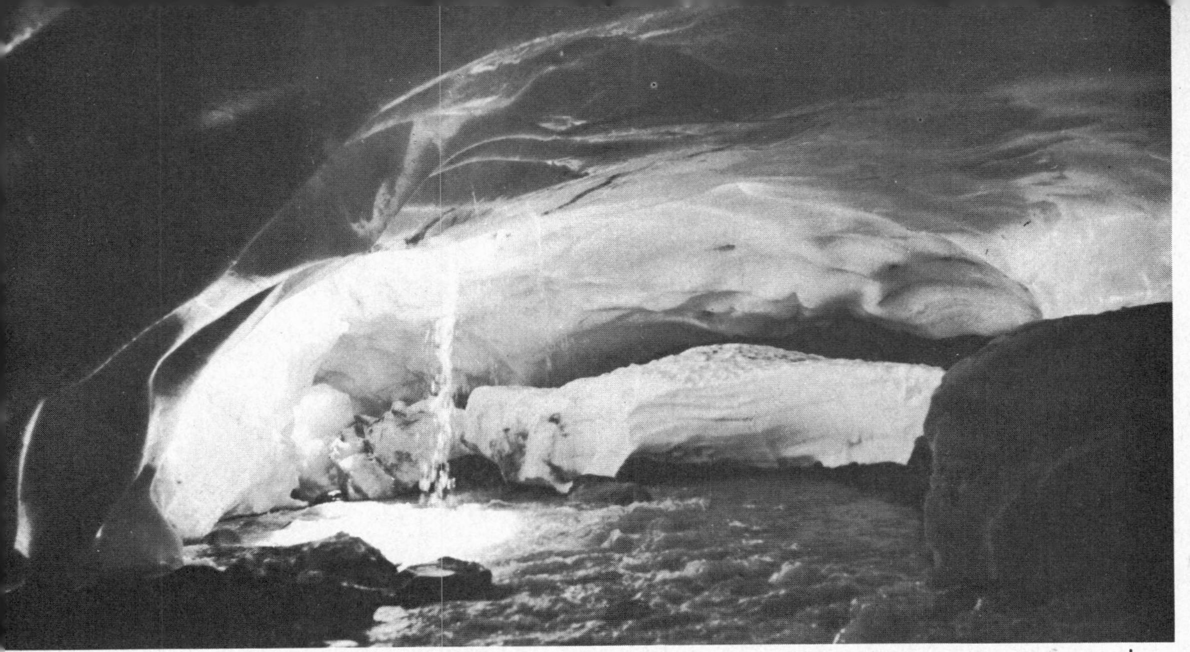

AMERICAN GEOGRAPHICAL SOCIETY

Une rivière glaciaire peut sculpter d'étranges cavernes dans le sous-sol. Ici, le glacier Paradise du Mont Rainier.

U.S. GEOLOGICAL SURVEY

Cirques glaciaires des Rocheuses du Colorado près du col Berthoud

LA FORMATION D'UN CIRQUE

Pendant toute sa vie, le glacier ne cesse de ronger les roches qui l'entourent, et ceci, avant même qu'il ne se soit détaché du champ de glace où il s'est formé.

Son action s'exerce en premier lieu dans les cavités où la neige s'est entassée. Les bords et le fond des gorges envahies sont rongés jusqu'à ce que le creux prenne la forme d'une cuvette, qu'en raison de sa forme circulaire, on appelle un cirque. C'est l'un des phénomènes résultant de l'érosion glaciaire.

Voici comment on explique cette action: pendant l'hiver, la glace est solidement fixée aux roches, mais quand le soleil brille, il se produit un léger dégel en surface. L'eau de fonte s'infiltre alors dans les craquelures du roc, gèle de nouveau pendant la nuit, augmente de volume et agrandit d'autant les fissures. Ce phénomène se répète pendant plusieurs mois et des fragments de roches finissent par se détacher des parois. La glace fond en été et accentue encore les effets de l'érosion. Enfin, il ne faut pas oublier le frottement des glaces en mouvement, l'action des vents et de la pluie qui contribuent à l'effritement continuel des murailles rocheuses.

Ce processus d'érosion se poursuit jusqu'à la formation de parois circulaires, fortement burinées, disposées les unes à proximité des autres et constituant les cirques glaciaires.

Dans la mesure où les cirques s'agrandissent, les murailles qui les séparent, s'amenuisent et finissent par former des pics effilés, aux flancs raides et déchiquetés.

OFFICE NATIONAL SUISSE DE TOURISME

Un pic des Alpes suisses et deux cirques ayant contribué à sa formation

Parmi les pics les plus célèbres citons le Matterhorn et la Jungfrau, en Suisse. Aux Etats-Unis, les chaînes de Grand Teton dans l'Etat de Wyoming sont hérissées de nombreux pics. Le plus connu d'entre eux est le mont Moran situé dans le Grand Teton National Park. De même, les sites pittoresques et sauvages des Rocheuses canadiennes sont dus à la présence de nombreux pics.

Les blocs de roche qui se détachent des parois contribuent aussi à la formation des cirques. Emprisonnés dans la glace nouvelle qui se forme chaque hiver, ils seront entraînés par elle dans sa descente vers la vallée. Frottant contre le fond du glacier, ils y laissent de profonds sillons qui marquent les parois des cirques.

LA VIE ET LE TRAVAIL D'UN GLACIER DE VALLÉE

Descendant lentement dans la vallée, le glacier charrie des roches de toutes tailles, depuis des cailloux jusqu'à des blocs pesant plusieurs tonnes. Ces pierres continuent le travail d'érosion dans le creux de la vallée et celle-ci, qui avait le profil d'un "V" prend, peu à peu, la forme d'un "U".

Les roches détachées des parois tombent naturellement sur les bords du glacier, s'incrustent aux premiers froids dans la glace superficielle et forment ainsi des bandes ou stries de couleur plus foncée, auxquelles on a donné le nom de moraines latérales.

En outre, les roches charriées par le glacier laissent des stries sur le sol de la vallée; ce sont parfois des lignes si fines qu'elles n'ont pu être creusées que par des grains de sable.

Coupe de vallée en U

GLACIER NATIONAL PARK

U.S. AIR FORCE

Les stries étroites, situées sur les bords de ce glacier de l'Alaska, sont des moraines latérales. Les stries larges du milieu sont des moraines médianes.

GLACIER NATIONAL PARK (U.S.A.)

La farine glaciaire donne à l'eau de ce lac un aspect laiteux.

Ailleurs, les sillons creusés dans des roches tendres, telles que les calcaires, ont des dimensions beaucoup plus importantes.

Sur le passage du glacier, les pierres fines qu'il transporte polissent sans cesse les roches dures, un peu à la manière d'une meule ou d'un papier de verre. Ce polissage est parfois tellement parfait que les géologues ont donné à certaines de ces surfaces le nom de miroirs de faille.

Lorsque la glace fond au pied de la vallée, son eau chargée de farine glaciaire donne normalement naissance à un cours d'eau dont on peut facilement deviner l'origine, même si l'on ne peut pas voir le glacier. En effet, la farine glaciaire donne à l'eau une couleur blanche teintée de vert caractéristique des lacs et des ruisseaux d'origine glaciaire. La splendide couleur des eaux du Lac Louise, dans les Montagnes Rocheuses du Canada, est due à la présence abondante de cette farine.

Et tant qu'il n'est pas immobile et par conséquent mort, le glacier exercera ainsi sa force contre les parois de roc qui l'entourent.

LA MORT D'UN GLACIER

Parler de la mort d'un glacier peut sembler étrange, mais l'expression correspond bien aux faits. Il suffit d'un changement des conditions dans lesquelles le champ glaciaire est né, ordinairement le réchauffement du climat, pour que le glacier dépérisse: l'élévation de la température moyenne, généralement imperceptible mais constante, se traduit, dans les régions affectées, par une diminution progressive des chutes de neige chaque hiver.

Le tassement des couches inférieures du glacier cesse lorsque la précipitation et la fonte annuelles des neiges se compensent. Le glacier ne recevant plus, à son sommet, assez de neige pour alimenter les langues de glace, se détachera du champ de névé. Simultanément, le climat plus chaud fera fondre la base et faute d'apports nouveaux, le glacier commencera à se réduire. Etant moins lourd, il coulera plus lentement dans la vallée et un jour, il s'immobilisera complètement.

Un glacier mort laisse de nombreux indices sur son passage, notamment des étendues de glace dans les cirques ou dans le fond des vallées ainsi que de multiples signes attestant de son existence passée.

LES VESTIGES D'UN GLACIER DE VALLÉE

L'indice le plus caractéristique de la présence d'anciens glaciers dans une région réside dans la forme des montagnes. Ce qu'on remarque d'abord, c'est le profil des montagnes et des vallées.

Ainsi, des cirques creusés au pied d'arêtes vives de rochers, ou la présence d'un pic de montagne entouré de plusieurs cirques, nous révèlent l'œuvre d'un glacier.

Après la disparition de celui-ci, la plupart des cirques se vident ou ne conservent que quelques champs de glace ou de neige. Certains contiennent des lacs profonds et magnifiques.

Ces lacs de montagne sont, eux aussi, des traces certaines du passage d'un glacier. La pluie et les eaux de fonte remplissent le fond du cirque d'une eau limpide, dans laquelle se mirent les parois rocheuses, et accentuent la beauté du site.

Lac de montagne, Morning Glory Lake; Glacier National Park, dans le Montana

GLACIER NATIONAL PARK

Ces lacs de montagne sont si beaux et évoquent si parfaitement des joyaux sertis dans le roc que, plusieurs d'entre eux, ont reçu les noms de différentes pierres précieuses. C'est ainsi que nous avons un Lac Améthyste et deux Lacs Émeraude, l'un dans l'Etat du Colorado aux Etats-Unis, et l'autre dans les Rocheuses canadiennes.

APRÈS LE PASSAGE DU GLACIER

Alors qu'une vallée récente dessinée par un cours d'eau a un profil transversal en "V", un glacier est assez puissant pour donner à la vallée des parois arrondies en "U". C'est là le signe distinctif du passage d'un ancien glacier. Tel est le cas de la vallée du Yosemite, dans le Parc national du même nom, en Californie.

Les géologues nous disent qu'il y a plusieurs milliers d'années, cette dépression possédait un profil en "V" et logeait la rivière Merced. L'intervention de grands glaciers a, plus tard, adouci les contours de la gorge qui, en s'élargissant, a progressivement évolué vers un profil en "U".

Surplombant les vallées en forme d'U et débouchant sur elles, on trouve parfois des vallées dites suspendues; ce sont les vestiges de glaciers secondaires qui alimentaient jadis la coulée principale à la manière des affluents d'un fleuve.

La masse de ces glaciers secondaires étant beaucoup moins grande, ils n'ont pas pu creuser un lit aussi profond que celui du grand glacier. Tant que les glaces furent en mouvement, cette différence de niveau n'était pas apparente, mais elle le devint lorsque les glaciers disparurent de la région.

La dénivellation entre les vallées suspendues et le lit de la coulée principale peut aller de quelques dizaines à plusieurs centaines de mètres (quelques centaines ou quelques milliers de pieds). Ces escarpements grandioses ont parfois formé de magnifiques chutes d'eau qui tombent souvent d'une hauteur considérable.

La vallée Yosemite, sculptée en "U" par un glacier

NATIONAL PARK SERVICE

Vallée suspendue

GLACIER NATIONAL PARK

LES FJORDS

Il existe un type spécial de vallée glaciaire, appelé fjord, dont la particularité tient au fait qu'il descend jusqu'à la mer et dont le lit est en partie submergé.

Les fjords sont particulièrement nombreux le long des côtes des pays nordiques. Là, il y a des milliers d'années, la glace a fondu si lentement que le glacier a pu atteindre la côte et se prolonger jusque sur le sol marin. Un travail d'érosion intensif a provoqué l'effondrement de la vallée glaciaire au-dessous du niveau de la mer et a facilité sa submersion par les eaux marines lors de la fonte du glacier.

Les côtes de la Norvège, de l'Alaska, de l'ouest du Canada, du Labrador et du Groenland, et celles du sud du Chili et de la Nouvelle-Zélande, doivent beaucoup de leur aspect pittoresque à l'existence de nombreux fjords.

Un fjord de la côte norvégienne

LE SOL D'UNE VALLÉE

Le sol rocheux d'une vallée apporte d'autres preuves de l'existence d'un ancien glacier. La surface plane et polie du fond de la dépression est marquée de rayures: les stries glaciaires. Toutes les stries sont orientées dans la direction qu'avait prise la coulée.

Il arrive souvent que le sol d'une vallée soit jonché de rochers aux formes arrondies. Les uns sont petits, mais d'autres s'élèvent à plus de 30 mètres (cent pieds). Ordinairement, assez groupés, ces monticules font penser, vus de loin, à un troupeau de moutons, ce qui leur a valu le nom de roches moutonnées.

Les roches moutonnées présentent des pentes douces et une surface polie, du côté où s'est effectuée la coulée glaciaire et des bords abrupts et accidentés à leur extrémité opposée. La forme particulière de ces roches très dures est due à l'action du glacier.

Lorsque le glacier s'est attaqué à des roches de cette dureté, il ne peut ni les briser, ni les emporter. Dans ce cas, les couches de fond coulent par-dessus le roc et l'usent, créant ainsi les pentes douces et polies. Au sommet du rocher, la masse de glace en mouvement ayant pu se déverser plus librement et plus vite vers le bas de la vallée, a laissé derrière elle des surfaces rugueuses.

Le sol des vallées présente de nombreux nids-de-poule. Ces cratères sont dus à l'action des moulins glaciaires. Les pierres brassées par les eaux de fonte s'entrechoquent violemment et creusent dans la glace des trous qui s'approfondissent progressivement et finissent par atteindre le sol rocheux de la vallée.

Lorsque la glace disparaît, les nids-de-poule se présentent comme de vastes cavités avec parfois au fond les pierres qui les ont formés. Certains d'entre eux sont cependant remplis d'eau et nous offrent des lacs scintillant sous le soleil.

Exemple de roches moutonnées. Le glacier a avancé de droite à gauche, sur l'illustration.

U.S. GEOLOGICAL SURVEY

AMERICAN GEOGRAPHICAL SOCIETY

Nid-de-poule de granit poli près du front du glacier North Dawes, dans les montagnes côtières de l'Alaska

Chaîne de lacs dans une vallée glaciaire. Région du Lac Louise dans les Rocheuses canadiennes.

CANADIAN PACIFIC RAILWAY

SIGNES DISTINCTIFS DU PASSAGE ANTÉRIEUR D'UN GLACIER

Si, en examinant une vallée, on voit:
qu'elle a une coupe en "U",
qu'elle est marquée de vallées suspendues et de cascades,
que le sol est poli et strié,
qu'on y trouve des roches moutonnées, des nids-de-poule et des lacs,
on peut affirmer qu'elle fut jadis occupée par un glacier.

Toutes ces caractéristiques ne sont pas toujours réunies en même temps, mais il suffit qu'il y ait le profil en "U", ainsi qu'une ou plusieurs d'entre elles pour nous éclairer.

LES MORAINES

Lorsque le glacier fond, il laisse encore d'autres traces de sa présence avant de disparaître. Ces indices, sont constitués par des dépôts glaciaires et ne peuvent pas tromper quand on a appris à les identifier.

Les moraines latérales et les moraines terminales ou frontales, sont les dépôts glaciaires les plus faciles à reconnaître. Par moraine, on entend un amoncellement de roches cassées et transportées par le glacier.

Les moraines latérales sont constituées des roches arrachées ou tombées des parois et qui formaient les bandes sombres sur les bords du glacier. Après la fonte des glaces, ces débris se sont déposés sur les bords de la vallée, et ont formé une terrasse en surplomb.

Les moraines terminales ou frontales se constituent à l'extrémité de la langue glaciaire, là où elle commence à fondre. On peut se représenter la langue du glacier entassant et repoussant les roches devant elle, tout comme le chasse-neige déblaie nos routes de campagne.

La hauteur de la moraine terminale nous révèle la vitesse approximative de fonte du glacier. Si ce phénomène s'est produit lentement, beaucoup plus de pierres ont été rejetées vers l'avant. Dans le cas contraire, un retrait rapide de la glace n'a laissé que peu de dépôts rocailleux.

La hauteur de ce genre de moraines peut s'élever jusqu'à près de 7 mètres (20 pieds). Elles forment une crête étroite qui prend parfois la forme d'un croissant dont les extrémités sont dirigées vers le centre de la vallée.

Il existe enfin un autre type de débris glaciaires qu'on nomme "moraine de fond". Ici, les roches forment des couches superposées sur le sol de la vallée, dispersées parfois jusqu'au pied de celle-ci. La moraine de fond atteint rarement plus de 1 mètre (quelques pieds) d'épaisseur.

Ces strates étaient autrefois incrustées au fond de la masse de glace; celle-ci trop chargée, en abandonna une partie sur son parcours. Des roches ont ainsi été retenues par les aspérités du sol de la vallée, principalement à son pied, là où le glacier avait perdu beaucoup de sa force.

La moraine de fond devient souvent de la glaise pierreuse, car elle est formée en grande partie d'argile sablonneuse qui a retenu des roches de toutes tailles et en a fait une masse morainique solide.

Moraine terminale d'un glacier de vallée de l'Oregon, en forme de croissant

U.S. GEOLOGICAL SURVEY

Il se peut qu'un glacier de vallée, avant de disparaître, laisse d'autres traces de son existence. Des apports glaciaires s'étendent parfois, en éventail, au-delà de la moraine terminale. Ce sont des pierres et des roches mélangées au sable et à la farine glaciaire qu'ont apportées de puissants torrents. Ces derniers ont creusé des tunnels dans la masse bordière, mais en arrivant au bas de la vallée, ils ont perdu leur force et ils ont déposé les lourds débris qu'ils transportaient.

TRACES D'UN ANCIEN INLANDSIS

Les calottes glaciaires, ou inlandsis, ont accompli un travail bien plus considérable que les glaciers de vallée, parce qu'ils étaient beaucoup plus étendus.

Les traces laissées par les inlandsis sont toutefois moins évidentes au premier abord. Les montagnes autrefois ensevelies sous un inlandsis ont été arrondies. Elles ne présentent pas de pics ou d'arêtes dentelées comme celles des glaciers de vallée. Les cirques sont également très rares.

La calotte glaciaire dépassait le sommet des montagnes et le mouvement des glaces a produit l'effet d'érosion.

D'autres traces de la présence d'un ancien inlandsis se retrouvent notamment dans la roche dénudée qui jalonne les plaines les plus vastes. Souvent, le champ glaciaire a arraché et entraîné avec lui la terre de surface et la roche friable. Le roc solide a été mis à nu, arrondi et poli, et il est marqué de nombreuses stries.

Les stries causées par un inlandsis sont plus profondes que celles imprimées par un glacier, car la pression exercée par l'inlandsis est beaucoup plus considérable.

Les stries sculptées dans le roc par la calotte glaciaire sont groupées et orientées en général dans la même direction. On voit ainsi dans quel sens l'inlandsis s'est déplacé et ce fait est confirmé, comme nous le verrons plus loin, par d'autres indices. Dans le nord des Etats-Unis, par exemple, les stries sont en direction nord-sud, ce qui prouve que l'inlandsis avait d'abord recouvert le sol canadien.

U.S. GEOLOGICAL SURVEY

Stries typiques d'un glacier

Bloc erratique du Yosemite National Park, en Californie, U.S.A.

U.S. GEOLOGICAL SURVEY

LES BLOCS ERRATIQUES

Dispersées sur des sols autrefois recouverts par un inlandsis, on trouve des roches venues de fort loin et d'une nature très différente du terrain sur lequel elles reposent. Pour cette raison, on les nomme roches erratiques ou vagabondes. Elles peuvent être de dimensions variables allant d'un simple caillou au bloc pesant plusieurs tonnes. Des études sérieuses permettent souvent de déterminer leur lieu d'origine. Ainsi, des roches erratiques retrouvées dans le Missouri, ont été charriées à partir d'une formation rocheuse contenant du cuivre située beaucoup plus au nord dans le Michigan. Des pierres provenant du Grand Nord canadien ont été retrouvées dans l'Ohio.

Certains gros blocs erratiques semblent être posés en un équilibre si précaire, sur des socles ou sommets de collines, qu'on croirait pouvoir les faire basculer d'une légère poussée de la main. Et pourtant, abandonnés par la fonte des glaces, ils n'ont pas bougé depuis des milliers d'années.

UN GENRE PARTICULIER DE MORAINE DE FOND

Il arrive souvent que la moraine de fond constitue des collines de forme allongée évoquant un œuf coupé en deux dans le sens de la longueur. Ce sont les “drumlins”, monticules qui peuvent avoir de 8 à 70 mètres (25 à 200 pieds) de hauteur, de 170 à 800 mètres (500 pieds à un demi-mille) de largeur à leur base et de 30 à 1 600 mètres (100 pieds à un mille) de longueur. Les drumlins sont le plus souvent réunis en groupe.

Ces collines sont constituées d'apports morainiques à haute teneur en argile. Beaucoup d'entre elles possèdent un noyau de roche très dure. D'ailleurs, on croit que les drumlins sont nés du passage d'une calotte glaciaire au-dessus de pics rocheux très résistants. Les roches charriées par l'inlandsis se sont entassées contre ces obstacles dont elles ont adopté les contours sphériques. L'argile a cimenté le tout en une masse solide.

La partie la plus épaisse du drumlin nous indique de quelle direction sont venus les apports glaciaires. Si les pentes douces et la pointe de l'œuf sont orientées vers le sud, nous savons que la glace qui l'a formé venait du nord.

Il existe un grand nombre d'agglomérations de drumlins en Amérique, notamment au Canada, en Nouvelle-Ecosse et dans les prairies de l'ouest central; puis, aux Etats-Unis, dans le Michigan, le Minnesota, l'Etat de New York et le Massachusetts, dont la capitale: Boston, est construite sur des drumlins.

L'étude des drumlins, des roches erratiques et des striations du sol nous indique sans doute possible que l'inlandsis qui a autrefois enseveli ces régions, était venu des zones nordiques du continent

Drumlins dans les plaines du Canada

SERVICE DES RELEVÉS GÉOLOGIQUES DU CANADA.

AUTRES TRACES D'UN INLANDSIS DISPARU

Au cours des époques lointaines où des ruisseaux creusaient des tunnels dans le cœur des glaciers et dans les crevasses, il arrivait parfois que des apports morainiques fussent déposés en longs sentiers sinueux qui se présentent aujourd'hui comme des chemins surélevés serpentant au milieu des plaines. On trouve un nombre important de ces curieuses formations morainiques en Irlande, où on leur a donné le nom de "eskers".

Les glaciologistes attribuent ces phénomènes à la fonte des parois des tunnels glaciaires laissant un amoncellement de dépôts dans les plaines et marécages. Toutefois, ils estiment que certains "eskers" étaient des fonds de crevasses ou de ravins dissimulés dans les couches les plus basses des inlandsis.

U.S. GEOLOGICAL SURYVEY

Le tracé sinueux d'un esker dans la plaine

Les eskers s'élèvent parfois jusqu'à une trentaine de mètres (100 pieds) du sol et leur longueur peut atteindre plusieurs kilomètres ou milles. En dehors de l'Irlande centrale, on en trouve dans divers Etats américains, notamment en Nouvelle-Angleterre, dans le Minnesota et dans le Michigan. Ils indiquent également la direction dans laquelle les glaciers se déplaçaient.

LIMITES EXTRÊMES D'UN INLANDSIS

A la suite d'un adoucissement de la température que les savants ne peuvent expliquer, l'inlandsis qui recouvrait l'hémisphère nord, se mit à fondre. Les limites de l'avance glaciaire sont indiquées par la présence des moraines terminales.

Comme la moraine frontale d'un ancien glacier de vallée, il s'agit d'une accumulation d'amas de pierres de formes et de tailles diverses. Toutefois, la moraine de l'inlandsis n'a pas un tracé bien déterminé et elle offre des sujets d'étude encore plus intéressants que la moraine frontale d'un glacier de vallée.

Un lac au creux d'une marmite au sud de l'Alaska

U.S. GEOLOGICAL SURVEY.

La moraine terminale a l'aspect d'une chaîne brisée de longues falaises à fortes pentes dont les sommets atteignent des hauteurs très inégales. Les divers chaînons sont séparés les uns des autres par des cours d'eau de fonte venus des hauteurs de l'inlandsis.

Toute la région terminale est parsemée de petits cratères ou marmites aux contours souvent circulaires. Plusieurs de ces dépressions sont comblées par des lacs.

Ces marmites ont été formées lors de la fonte de blocs de glace, restés emprisonnés sous les débris rocheux après le retrait du glacier. Ces débris ont peu à peu cédé, créant le fond et les bords des cratères. On trouve plusieurs petits lacs de cette origine dans le Michigan, le Minnesota et le Wisconsin, où on remarque simultanément la présence de monticules de graviers nommés cairns naturels.

Ces cairns s'expliquent aussi par l'action des torrents qui descendaient autrefois de l'inlandsis ou d'un tunnel, pour se transformer en cataractes. Ils ont déposé au passage les pierres qu'ils

U.S. BUREAU OF RECLAMATION

Vue aérienne d'un paysage de marmites occupées par des lacs

Cairn d'origine glaciaire

avaient charriées, d'où ces monticules qui n'ont plus bougé après le retrait de la masse glaciaire.

Un paysage de marmites et de cairns révèle en toute certitude que vous vous trouvez près de la limite d'un ancien inlandsis.

AU-DELÀ DE LA MORAINE TERMINALE

Un inlandsis est si grand que son dégel donne lieu à la formation de nombreux cours d'eau; ils franchissent le front morainique pour s'étendre loin dans les plaines, tout en abandonnant peu à peu les débris rocheux dont ils étaient chargés.

Les matières plus pesantes, roches et sable, demeurent dans le voisinage de la moraine terminale. Au-delà, de celle-ci, les eaux glaciaires déposent de la boue et du sable très fin qui, une fois asséchés, constitueront souvent de la terre arable très fertile. Les plaines du Middle West américain sont constituées d'épaisses couches de ce genre d'alluvions.

La calotte glaciaire peut donc jouer un rôle à la fois destructif et bénéfique. Ici, elle se livre à un travail d'érosion de la surface terrestre et répand sur son chemin des monticules de roches, là, elle apporte le limon qui fertilisera le sol.

L'INLANDSIS A REDESSINÉ LACS ET RIVIÈRES

Au cours des milliers d'années pendant lesquelles il a recouvert le Canada et les zones septentrionales des Etats-Unis et de l'Europe, l'inlandsis nordique a accompli un travail important. En descendant vers le sud, cette gigantesque masse a creusé des bassins dans la roche friable et élargi les vallées existantes. Après la fonte des glaces, certains bassins s'emplirent d'eau et formèrent des lacs.

Dans l'Etat de New York, se trouvent d'anciennes vallées qui se sont élargies, puis fermées à leurs extrémités par des alluvions, formant ainsi d'autres lacs d'un caractère différent. Ceux-là sont en effet très longs, étroits et souvent groupés presque parallèlement comme les doigts de la main. Leur orientation est nettement nord-sud, celle de la marche des glaciers d'antan. Citons, les lacs Seneca, Cayuga, Champlain et George.

Non seulement la glace a creusé de nouveaux bassins et agrandi les vallées existantes, mais la majorité des lacs d'origine glaciaire sont d'anciens cours d'eau coupés en plusieurs endroits par des apports glaciaires. Ainsi naquirent d'innombrables chaînes de lacs. De vastes étendues lacustres résultent de l'obstruction d'une rivière dont les eaux se répandirent en amont.

Région de lacs "en doigts"

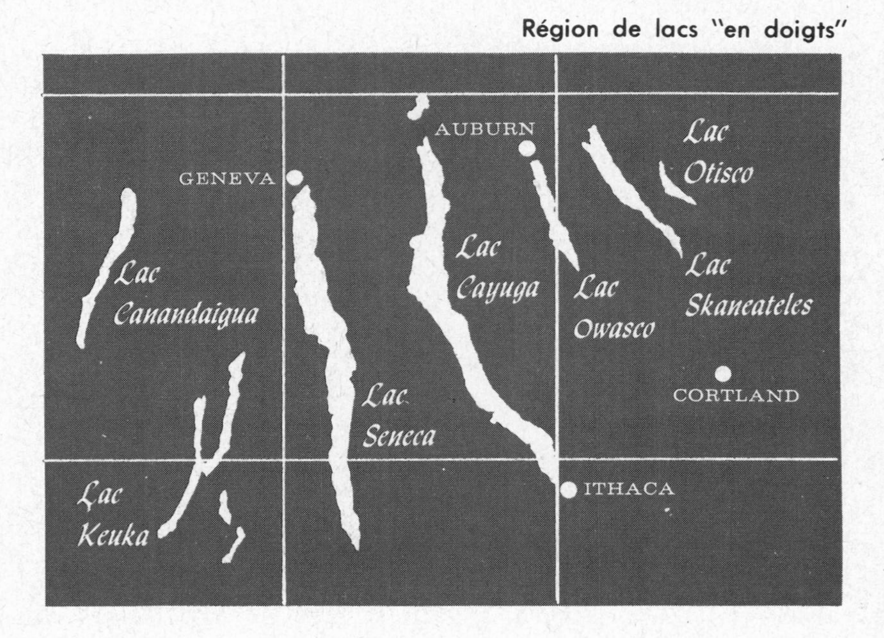

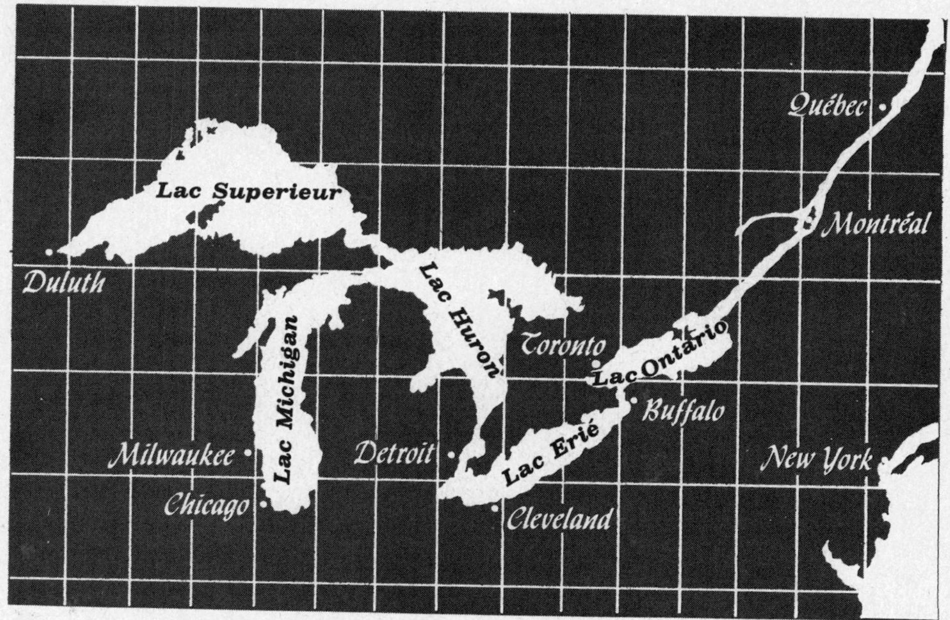

Le reflux des eaux normalement écoulées par le Saint-Laurent, à l'époque des barrages glaciaires, a fortement contribué à créer les Grands Lacs sous leur forme actuelle.

Ainsi seraient nés ces géants que sont les Grands Lacs canado-américains, à partir de petits lacs dont les eaux cessèrent de couler dans le Saint-Laurent, soudainement obstrué par l'avance de l'inlandsis. Quand le fleuve fut dégagé par le retrait de la glace, les anciens petits lacs devenus les immenses nappes d'eaux actuelles écoulèrent une partie de leurs eaux vers le Saint-Laurent. Leur niveau baissa et de vastes régions autrefois inondées émergèrent et se présentent maintenant sous l'aspect de plaines au sol limoneux et particulièrement fertile.

Ailleurs, le barrage glaciaire a eu pour effet de détourner des cours d'eau de leur ancien lit vers un nouveau. L'un des exemples les plus célèbres de ce genre de phénomène est le fleuve Columbia, dans l'Etat de Washington.

U.S. BUREAU OF RECLAMATION

La Grand-Coulée fut jadis le lit du fleuve Columbia.

Le Columbia avait, à l'époque pré-glaciaire, un lit bien déterminé: la Grand-Coulée, long de quelques 80 km (50 milles), très large et encaissé entre de hautes falaises. A un endroit particulier, nommé "Dry Falls", le fleuve plongeait en cataracte d'une hauteur de 135 m (400 pieds), constituant un spectacle encore plus impressionnant que les Chutes du Niagara. Imaginez quelle masse de glace il a fallu pour bouleverser le tracé d'un cours d'eau de cette importance!

UN FLEUVE NOYÉ

L'inlandsis a également modifié le cours du fleuve Hudson, dans le nord de l'Etat de New York.

Pendant l'époque de la glaciation, le niveau des côtes orientales américaines était beaucoup plus élevé qu'il ne l'est maintenant. La vallée du fleuve Hudson s'étendait bien au-delà des bords actuels de l'océan. Peu à peu, cette vallée fut bloquée par la glace, s'élargit et s'effondra littéralement sous le poids de l'énorme pression qu'elle dut supporter. Lors de la fonte de l'inlandsis, toute cette région se trouva inondée par un nombre considérable de cours d'eau torrentiels venus du nord.

Le fleuve Hudson, près de Yonkers, N.Y.

U.S. GEOLOGICAL SURVEY

La masse d'eau se précipita avec fracas vers le sud et son énergie fut telle qu'elle creusa une gorge profonde (ou cañon) au-dessous du niveau de la mer. En même temps, celui-ci s'éleva graduellement et l'embouchure du fleuve disparut sous l'océan. L'ancien lit n'est plus aujourd'hui qu'un cañon englouti au fond de la mer.

Actuellement, le lit de l'Hudson, entre New York et Albany, soit une distance de 240 km (150 milles), est plus bas que le niveau de la mer. L'eau salée de l'Atlantique remonte librement et les marées se font sentir jusqu'à Albany. C'est pour cette raison que les géologues décrivent l'Hudson comme un "fleuve noyé".

RÉSUMÉ: LES MARQUES LAISSÉES PAR L'INLANDSIS

Les indices suivants nous permettent de reconnaître un sol qui fut jadis recouvert par la calotte glaciaire:

des collines aux pentes douces et au profil arrondi,
le roc dénudé, poli et marqué de stries,
des champs jonchés de roches,
des blocs erratiques parfois juchés sur des promontoires,
des drumlins et des eskers,
des lacs longs et étroits, souvent en chaîne, dans des régions au sol généralement plat.

Nous savons où l'inlandsis s'est arrêté en voyant:
Une moraine marginale faite de roches de natures différentes,
des marmites dont certaines constituent des lacs,
un paysage parsemé de marmites et de cairns.

WISCONSIN CONSERVATION DEPARTMENT

Paysage morainique

Corniche de glace à Little America, dans l'Antarctique

U.S. NAVY

L'ANNÉE GÉOPHYSIQUE INTERNATIONALE

Le plus grand inlandsis du monde est, à l'heure actuelle, celui de l'Antarctique. Il s'agit d'un continent dont la superficie est ensevelie presque partout sous une calotte glaciaire d'une épaisseur d'environ 3 000 mètres (environ 10 000 pieds). On ne trouverait nulle part ailleurs pareil laboratoire de recherches à la disposition des glaciologistes.

En 1957 et 1958, la plupart des pays techniquement développés ont collaboré à un programme de recherches qui a pris le nom d'Année Géophysique Internationale. L'Antarctique a été l'une des principales régions étudiées en commun.

Lorsque la somme de toutes les conclusions tirées des travaux de recherche et d'exploration effectués à ce jour sera enfin établie, la science de la glaciologie aura progressé d'un pas de géant.

U.S. NAVY

Base de l'Année Géophysique dans l'Antarctique

OFFICE NATIONAL DU FILM DU CANADA.

Le lac Louise et le glacier Victoria, Alberta, Canada

Au pied du glacier Athabaska: champ de glace Columbia, Alberta, Canada

CHEMINS DE FER NATIONAUX DU CANADA (C.N.)

LA MÉTÉOROLOGIE

par ROSE WYLER
illustrations par BERNICE MYERS
version française par BERNARD DAGENAIS

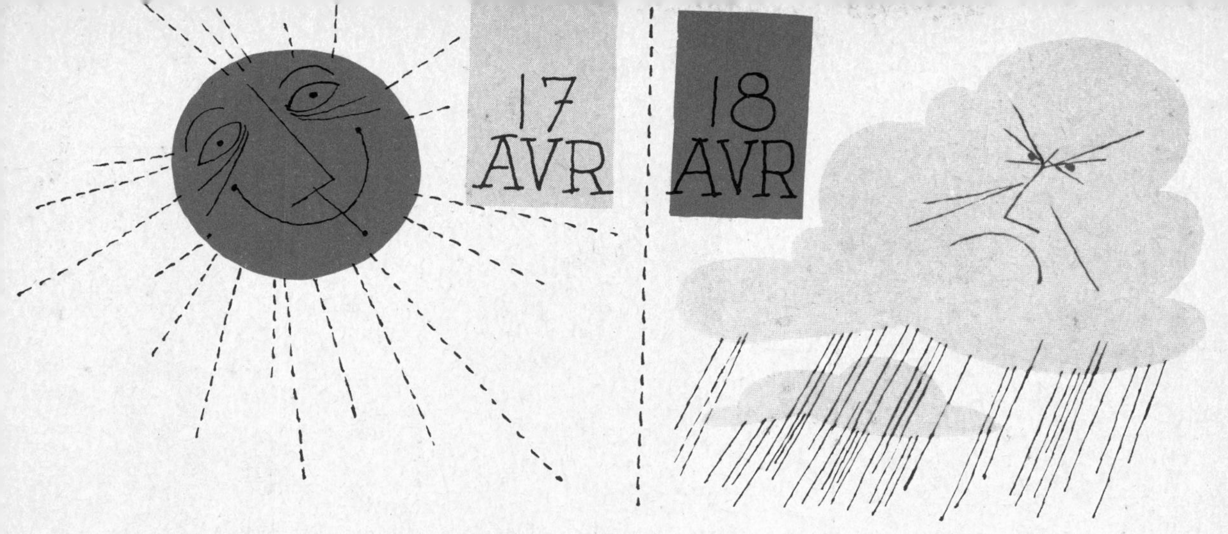

L'AIR QUI NOUS ENTOURE

"Pluie demain", dit le bulletin de la météo. Pourtant, au même instant, le soleil brille, mais le lendemain matin, d'épais nuages gris couvrent le ciel et il pleut.

Comment le météorologiste a-t-il pu prévoir cela? A-t-il simplement deviné juste? Non. En fait, ce spécialiste qui observe les phénomènes de l'atmosphère en vue de prévoir le temps, a raison huit ou neuf fois sur dix. Sa science — car c'en est une — est étonnamment précise, mais la plupart des gens n'en ont pas la moindre idée.

Le météorologiste fonde ses prédictions sur l'observation des changements atmosphériques qui se produisent d'heure en heure et de jour en jour. Ces changements indiquent d'avance le temps qu'il fera cette nuit ou demain . . . ou plus tard: changements du vent, des nuages, du degré de température, d'humidité et de densité de l'air, et autres indices qui ne trompent pas au moment où on les observe, mais qui peuvent changer d'une heure à l'autre de façon imprévisible.

La météorologie est une des rares sciences où la cause se manifeste avant l'effet. Vous pouvez vous-même apprendre facilement à reconnaître ces indices et à faire vos propres prévisions. Tel est le but du présent ouvrage.

L'air se compose d'oxygène (0), d'azote (N) et de vapeur d'eau (V).

Les gaz présents dans l'air

La difficulté des prévisions tient à ce que l'air est un mélange de gaz invisibles dans lequel flottent les nuages et des impuretés: particules de suie, de poussières, de pollen et même de sel marin. Toutefois, l'air se compose surtout d'oxygène (gaz indispensable à la vie) et d'azote, auxquels s'ajoutent de faibles quantités d'autres gaz et de la vapeur d'eau (gaz provenant de l'évaporation de l'eau) en proportion variable. Le gaz atmosphérique le plus important pour le météorologiste est la vapeur d'eau: c'est elle qui forme les nuages, la pluie et la neige.

Tout gaz se compose de particules infiniment petites appelées molécules, différentes pour chaque gaz. Dans l'air, toutes les molécules de tous les gaz sont mélangées indifféremment, de sorte que le mélange d'air qui nous entoure est uniforme sur toute la Terre. Les molécules de gaz sont si petites qu'il faudrait en aligner plus de deux millions pour couvrir la largeur d'un grain de sel.

Les molécules d'air sont très actives. Elles s'agitent constamment en tous sens et à des vitesses différentes. Parfois elles s'entrechoquent mais, généralement, il y a par rapport à leur grosseur beaucoup d'espace entre elles. Si on les tassait ensemble, elles formeraient non pas de l'air, mais un mélange de substances liquides et solides irrespirables.

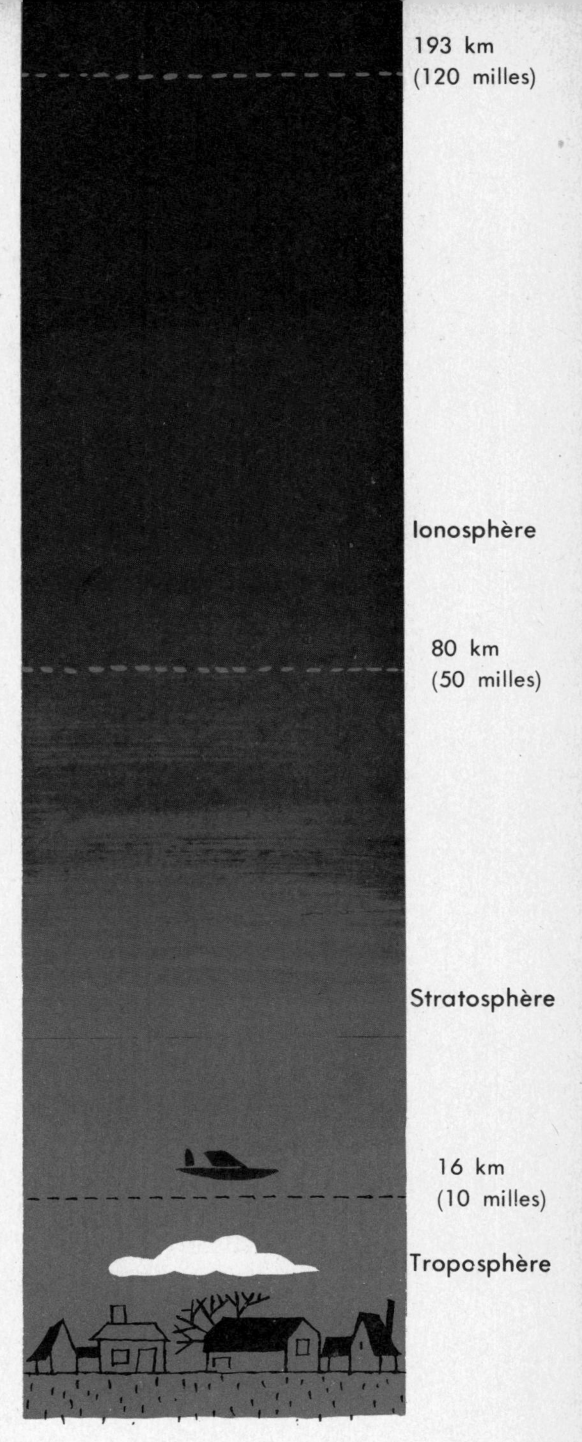

Couches atmosphériques

Les gaz de l'air sont incolores. Pourtant le ciel, en plein jour, nous paraît bleu. En voici la raison. La lumière solaire contient des rayons des différentes couleurs de l'arc-en-ciel. Les molécules de l'air dispersent ces rayons, mais pas tous de la même façon. Les rayons bleus, dispersés davantage, font paraître le ciel bleu.

Les couches d'air

A 16 km (10 milles) et plus de hauteur, un pilote d'avion doit regarder en bas pour voir le bleu du ciel; il apparaît comme un voile bleuâtre couvrant la Terre.

Au-dessus de lui, le ciel est violet foncé, le jour comme la nuit, parce que la lumière solaire n'illumine le ciel qu'en frappant les molécules d'air, et plus on monte, plus elles se raréfient.

La partie inférieure de l'atmosphère est beaucoup plus dense que la partie supérieure car la force de gravité attire les molécules vers la Terre et celles des couches élevées exercent une pression sur celles qui se trouvent plus bas.

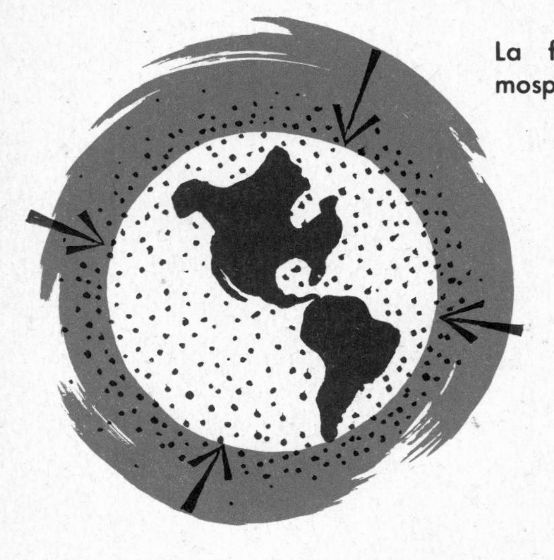

La force de gravité fait pression sur l'atmosphère.

Les savants peuvent mesurer l'air à différentes altitudes au moyen d'instruments portés par des ballons-sondes, des fusées et des satellites, branchés sur des postes émetteurs de radio.

On a ainsi appris que les neuf dixièmes environ des molécules d'air se trouvaient dans les premiers 16 km (10 milles) au-dessus du niveau de la mer. Cette région, où se forment la pluie et la neige, porte le nom de troposphère.

La plupart des molécules restantes se trouvent dans une zone de 65 km (40 milles) au-dessus de la troposphère. La partie inférieure de cette zone s'appelle la stratosphère. Dans cette région sans orages, où volent les avions à réaction, les nuages sont rares, mais il y a des vents violents, les "jets streams".

Plus haut, dans l'ionosphère, l'air est trop raréfié pour qu'il y ait des vents. Toutes les molécules portent une charge électrique. Elles sont parfois lumineuses et forment ces lueurs colorées et mouvantes appelées aurores boréales dans l'hémisphère nord, et aurores australes dans l'hémisphère sud. On en a observé jusqu'à 1 100 km (700 milles) de hauteur.

Même au-delà, il y a encore un peu d'air et on trouve des molécules dispersées jusqu'à 30 000 km (18 600 milles). Plus loin, l'atmosphère se perd dans l'espace infini où règnent perpétuellement la nuit, le froid et le calme.

La pression atmosphérique

Les molécules d'air exercent une poussée constante vers le sol que l'on appelle pression atmosphérique et qui peut être mesurée à l'aide d'un baromètre. Cet instrument indique que, sur une surface de 1 cm^2, au niveau de la mer, l'air exerce une pression à peu près égale à 1 kg (15 lb par pouce carré). C'est-à-dire qu'au-dessus de ce cm^2 de surface, la colonne d'air comprise entre le niveau de la mer et l'espace pèse 1 kg. Plus haut, l'air se raréfie et sa pression diminue.

Ainsi, quand vous regardez en l'air, si votre nez a 10 cm^2 (2 pouces carrés) de surface, il supporte une dizaine de kilos (environ 30 lb) d'air, et si vos épaules ont 100 cm^2 (20 pouces carrés) de surface, elles en supportent quelque 100 kg (300 lb)!

Normalement, toutefois, on ne sent pas le poids de l'atmosphère car, à l'intérieur de notre corps, existe une pression extérieure. Les deux pressions s'équilibrent donc et l'on n'en ressent aucune.

L'expérience suivante montre ce qui se produit quand on retire l'air à l'intérieur d'un bidon.

Prenez un bidon de métal fermant avec un bouchon qui se visse. Versez-y environ une demi-tasse d'eau. Faites-la bouillir. Sous l'effet de la chaleur, les molécules d'eau forment un gaz, la vapeur d'eau, qui se dilate, chasse l'air du bidon et prend sa place.

Quand de petits nuages de vapeur sortent du bidon, arrêtez de chauffer et vissez le bouchon à fond.

En vous servant de poignées isolantes, portez le bidon sous un robinet et faites couler de l'eau froide: en quelques instants, le bidon s'écrase avec bruit.

Savez-vous ce qui s'est passé? En refroidissant, la vapeur d'eau qui avait pris la place de l'air est redevenue de l'eau. Mais les molécules d'eau tiennent bien moins de place que celles de la vapeur. La pression qui existait à l'intérieur du bidon est donc devenue bien plus faible que celle de l'air extérieur. Les parois du bidon n'ont pas pu y résister et se sont affaissées.

En examinant le bidon, vous constaterez que toutes ses faces ont cédé à cette pression, ce qui démontre qu'elle s'exerce dans toutes les directions à la fois.

Les molécules formant la basse atmosphère sont comprimées par celles qui se trouvent au-dessus. Pour échapper à ce poids, elles doivent se pousser les unes contre les autres dans toutes les directions. On ne peut faire un trou dans l'air. Si on enlève de l'air quelque part, il est immédiatement remplacé par une autre quantité d'air. Les molécules d'air toujours en mouvement cherchent sans répit à occuper les moindres espaces vides.

Ce qui chauffe notre planète

Si l'air était immobile, il n'y aurait ni vent, ni neige, ni pluie, ni brume. Mais les molécules d'air sont tenues en mouvement par la chaleur qui nous vient du Soleil.

Le Soleil est une sorte d'usine d'énergie atomique perpétuelle. Cette énergie est créée à l'intérieur du Soleil, là où la température dépasse un million de degrés, par la collision et la scission des atomes de gaz. Elle est lancée dans l'espace sous forme de rayons.

En traversant l'espace, les rayons ne sont ni chauds, ni lumineux. Ils ne produisent de la chaleur et de la lumière qu'en touchant une matière quelconque. Ils traversent l'espace à la vitesse de 300 000 km (186 000 milles) à la seconde. Même à cette vitesse, il leur faut 8 minutes et demie pour atteindre la Terre car elle se trouve à 150 millions de km (93 millions de milles) du Soleil.

Certains rayons sont arrêtés par les molécules d'air, mais la plupart traversent l'atmosphère. Ce sont eux qui réchauffent la terre et les mers et cette chaleur remonte ensuite dans l'air. Les neuf dixièmes environ de la chaleur de l'air sont produits de cette façon indirecte.

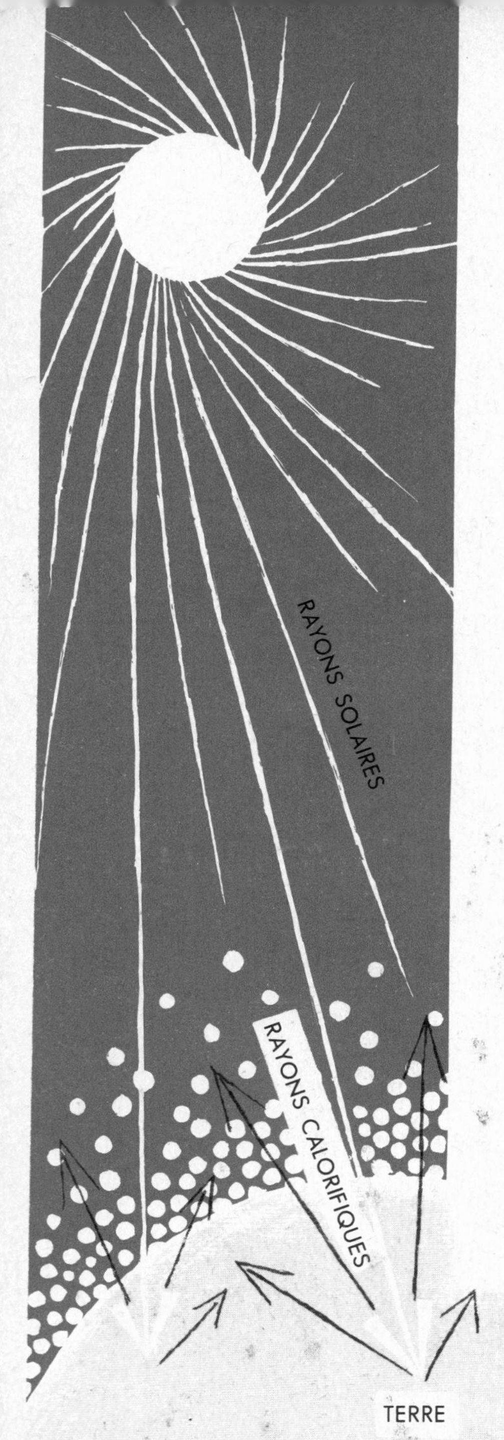

L'air est réchauffé après que les rayons solaires ont frappé la Terre.

L'air se réchauffe donc au contact de la Terre après le lever du soleil, puis se refroidit pendant la nuit et se réchauffe de nouveau le lendemain matin.

Ce rythme est dû au fait que la Terre tourne sur elle-même. Elle accomplit un tour complet en 24 heures et ainsi, successivement, elle expose chacune de ses faces au Soleil, puis les plonge dans la nuit. Chaque matin, le Soleil semble donc monter de l'horizon à l'est pour passer au-dessus de nos têtes à midi et redescendre vers l'horizon à l'ouest quand vient le soir.

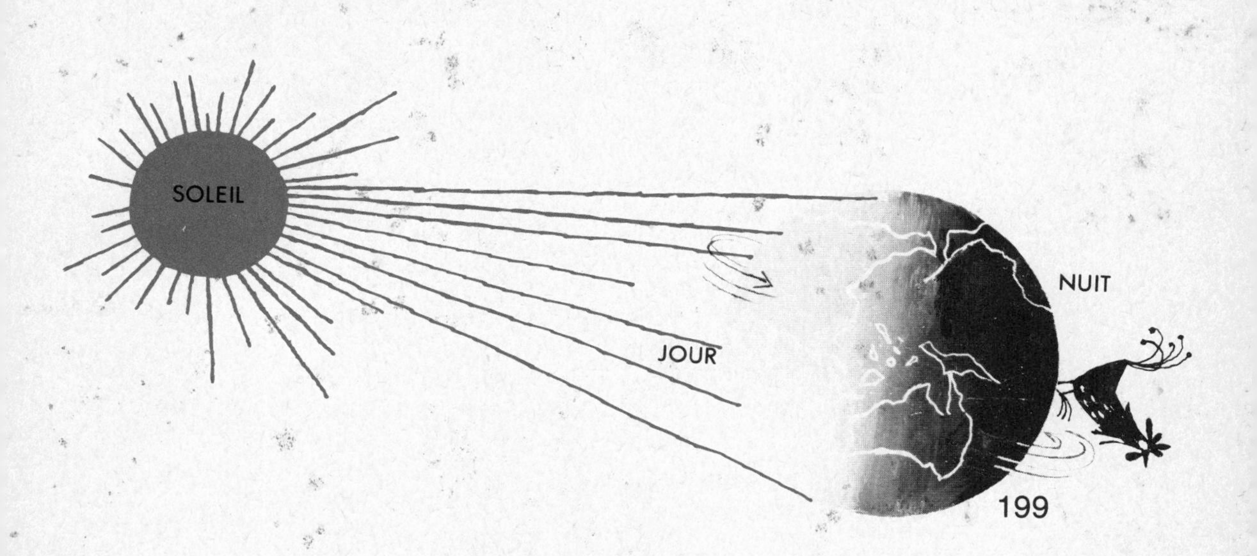

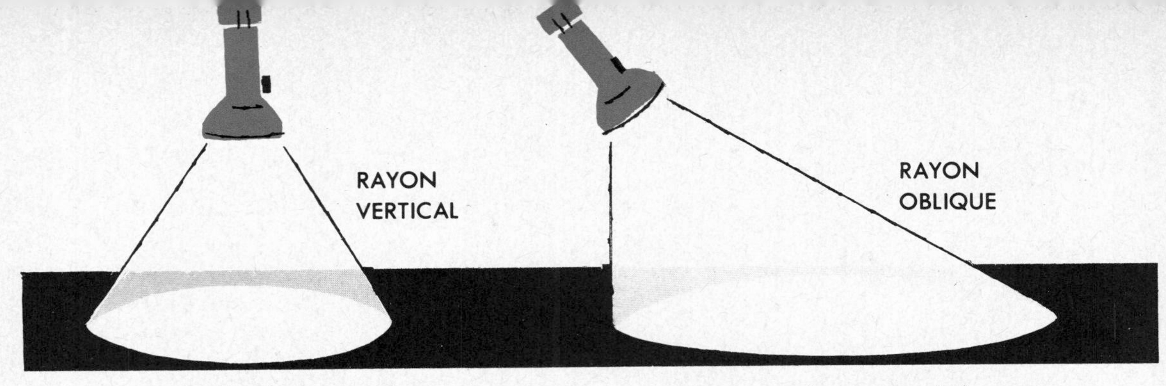

Quand le Soleil est bas, ses rayons nous parviennent obliquement. Plus il est haut dans le ciel, plus ses rayons se rapprochent de la verticale. Cela fait une énorme différence dans la quantité de chaleur que nous recevons de lui.

Prenez une lampe de poche et, dans l'obscurité, dirigez son jet de lumière sur le sol à quelque distance de vous. Puis dirigez-le presque à vos pieds et voyez comme le faisceau lumineux devient à la fois moins étendu et plus brillant.

Il en est ainsi du Soleil: plus les rayons sont verticaux, plus ils sont puissants; plus ils sont obliques, plus ils sont dispersés et par conséquent plus faibles.

Tout en tournant sur son axe, la Terre tourne aussi autour du Soleil. Elle met un an à en faire le tour. Comme l'axe de la Terre est incliné par rapport au cercle qu'elle décrit autour du Soleil, elle expose davantage au Soleil tantôt sa moitié nord, tantôt sa moitié sud.

Parcours annuel de la Terre

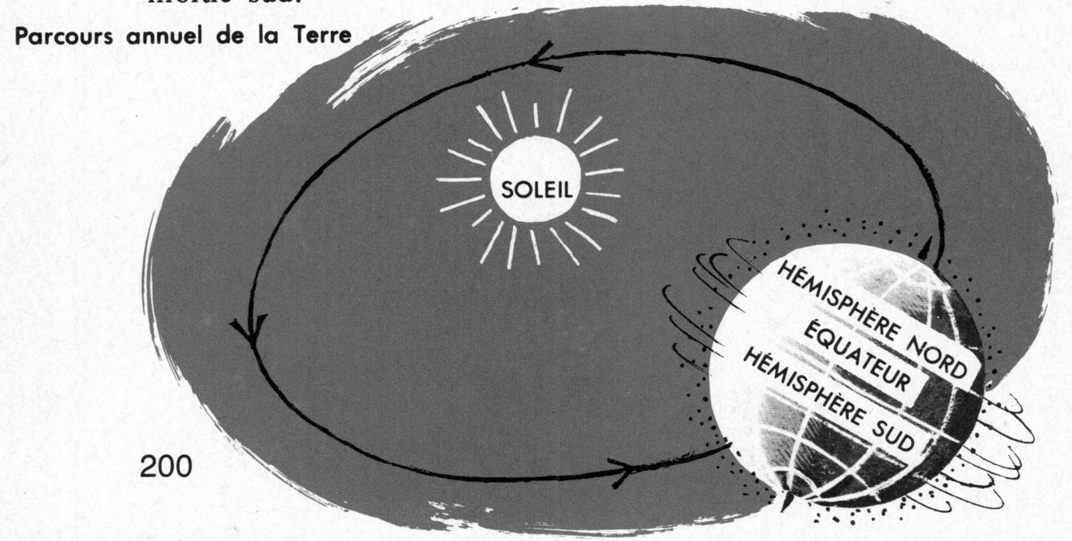

Chacune de ces deux moitiés s'appelle un hémisphère. Quand celui sur lequel vous vivez est penché vers le Soleil, les rayons vous arrivent plus verticalement qu'à aucune autre époque de l'année: c'est l'été. Les jours sont plus longs que les nuits et cette partie du globe se réchauffe.

Pourquoi les saisons changent.

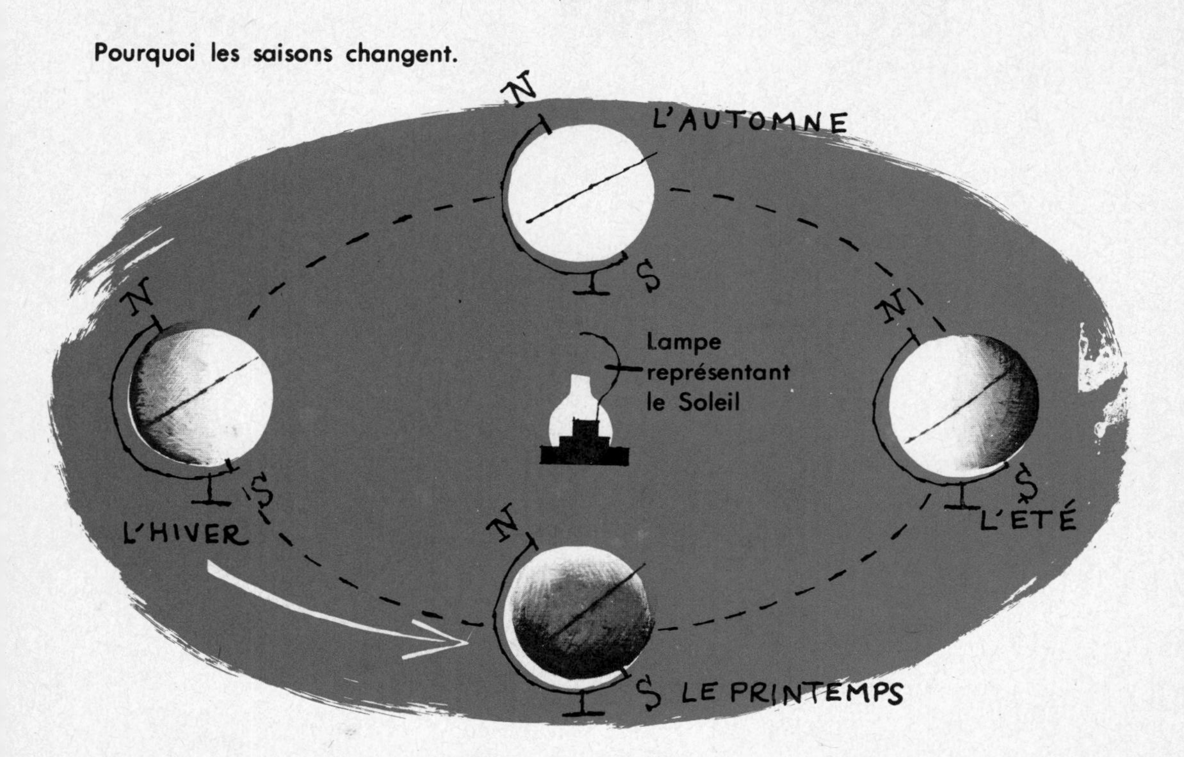

Quand cet hémisphère est penché dans la direction opposée à celle du Soleil, les rayons y parviennent obliquement: c'est l'hiver et il fait froid; les jours sont plus courts que les nuits. Par contre, pour les habitants de l'autre hémisphère, c'est l'été: leurs saisons sont inversées.

Faites le tour d'une lampe en tenant un globe comme le montre l'illustration, pour comprendre le changement des saisons.

Le temps et le climat

Les jours d'été ne sont pas uniformément chauds et les jours d'hiver pas uniformément froids. Certains jours sont secs, d'autres sont humides. En enregistrant chaque jour la température d'un endroit pendant un an, on obtient la température annuelle moyenne. On peut faire le même calcul pour les chutes de pluie et définir ainsi le climat d'une région. On appelle climat l'état moyen de l'atmosphère dans une région pendant une longue période de temps.

Les régions de la Terre autour de l'équateur sont les plus chaudes car elles reçoivent davantage de soleil. Les régions polaires sont les plus froides car elles en reçoivent le moins. Entre ces deux extrêmes se situent les régions tempérées.

Le dessin de la page 17 montre que les régions équatoriales reçoivent plus de soleil que les autres. A midi, les rayons arrivent presque verticalement, quelle que soit l'inclinaison de l'axe de la Terre. Dans les autres zones, la surface terrestre se courbe et s'éloigne du Soleil. Pendant plusieurs mois, les rayons de midi frappent le sol obliquement et plus faiblement.

Sous les rayons du soleil, le sol et l'eau se réchauffent, mais pas de la même façon: le sol se réchauffe beaucoup plus vite, ce que met en évidence l'expérience suivante.

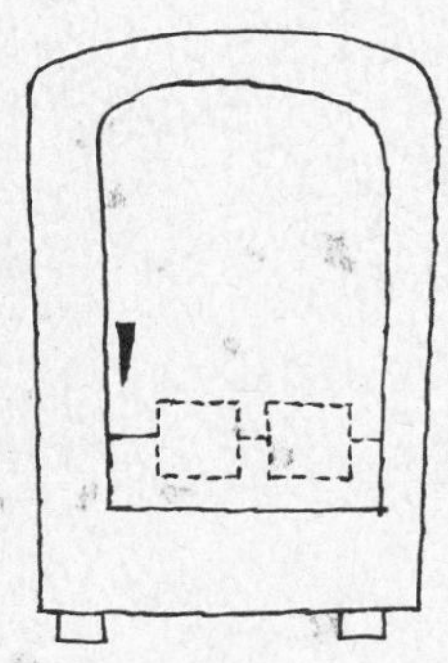

Prenez deux boîtes métalliques vides. Remplissez-en une avec de la terre et l'autre avec de l'eau. Placez-les dans un réfrigérateur jusqu'à ce qu'elles soient aussi froides l'une que l'autre.

Placez-les ensuite en plein soleil. Au bout de deux heures, la boîte de terre sera devenue beaucoup plus chaude que la boîte d'eau. Vous le constaterez aisément rien qu'en les touchant.

Le sol se refroidit aussi plus vite que l'eau. Vous le constaterez sur une plage. De bonne heure le matin, le sable est froid. A midi, il peut être trop chaud pour que vous puissiez y marcher pieds nus. Le soir, il est redevenu froid. Entre-temps, la température de l'eau n'aura pas sensiblement varié, tandis que celle de la terre aura varié peut-être de plusieurs degrés.

La température de la mer est si stable qu'elle varie à peine entre l'été et l'hiver. C'est parce qu'il faut énormément de chaleur

pour élever de quelques degrés seulement la température de l'eau. Quand vient l'hiver, la mer a emmagasiné de la chaleur et ne la perd que lentement. La terre, au contraire, gaspille littéralement sa chaleur: elle la perd aussi vite qu'elle l'a acquise. C'est pourquoi la terre est plus chaude que la mer en été et plus froide qu'elle en hiver.

La hauteur du sol au-dessus du niveau de la mer, appelée altitude, agit aussi sur la température. Quelquefois, il fait assez chaud au pied d'une montagne pour un bain de soleil, alors que l'on peut faire du ski au sommet. Les pics des très hautes chaînes montagneuses sont couverts de neiges éternelles.

L'air est toujours plus chaud au niveau de la mer qu'à une haute altitude parce qu'il est réchauffé par le sol qui réfléchit les rayons solaires. Au pied de l'Everest, la plus haute montagne du monde, il peut faire 32 °C (90 °F), et —18 °C (0 °F) au sommet.

Mesure de la température

Quelle est la température de l'air qui nous entoure? Pour le savoir, il faut consulter un instrument plus précis et plus sensible que nos sens: un thermomètre.

Tout d'abord, assurez-vous que votre thermomètre est en bon état. Examinez la colonne de liquide; si elle est coupée par endroit ou si vous voyez des bulles, votre thermomètre ne fonctionne pas.

Trouvez un endroit abrité pour accrocher votre thermomètre. Les rayons du soleil ne doivent pas l'atteindre directement et il doit être à l'abri du vent. Si possible, ne le placez pas contre des murs de pierre ou de ciment: ils absorbent la chaleur et risquent de fausser vos observations.

Comment fonctionne un thermomètre? Il se compose essentiellement d'un réservoir en verre, contenant un liquide: soit du mercure de couleur argent, soit de l'alcool coloré en rouge. A la chaleur, le liquide se dilate et son niveau s'élève dans le tube. Quand il fait froid, il se contracte et le niveau baisse.

Le tube est fixé sur un fond gradué, c'est-à-dire portant un certain nombre de divisions. Chacune d'elles représente un degré.

Vous avez peut-être un thermomètre gradué en degrés Fahrenheit. Cette graduation, ou échelle, a été inventée vers 1714 par un Allemand, Gabriel Daniel Fahrenheit. La température de la glace fondante, c'est-à-dire celle de l'eau qui commence à geler, correspond à 32°; la température à laquelle l'eau bout est représentée par 212°.

Peu après, un savant suédois, Anders Celsius, inventa une échelle plus simple, où le point de congélation est 0° et celui d'ébullition 100°. L'intervalle est divisé en 100 parties égales, d'où le nom d'échelle centigrade qu'on lui donne parfois. Toutefois, le terme correct est Celsius.

Pour éviter toute confusion entre les deux échelles, on fait suivre le chiffre indiquant la température de l'initiale de l'échelle utilisée. Par exemple, 32 °F (32 degrés Fahrenheit) correspondent à 0 °C (zéro degré Celsius).

Aujourd'hui, l'échelle Fahrenheit n'est en usage que dans les pays anglo-saxons, tous les autres utilisent l'échelle Celsius. Pour cette raison, la Grande-Bretagne et les Etats-Unis ont décidé d'abandonner, eux aussi l'échelle Fahrenheit. Il est donc fort probable que l'échelle Celsius soit prochainement d'un emploi universel.

Si l'on vous parle un jour d'une température en degrés Celsius, alors que vous êtes habitué à l'échelle Fahrenheit, il vous suffira de faire la conversion en utilisant une formule très simple. Prenez les neuf cinquièmes de la température Celsius et ajoutez 32.

Exemple: 20 °C x 9/5 + 32 = 68 °F.

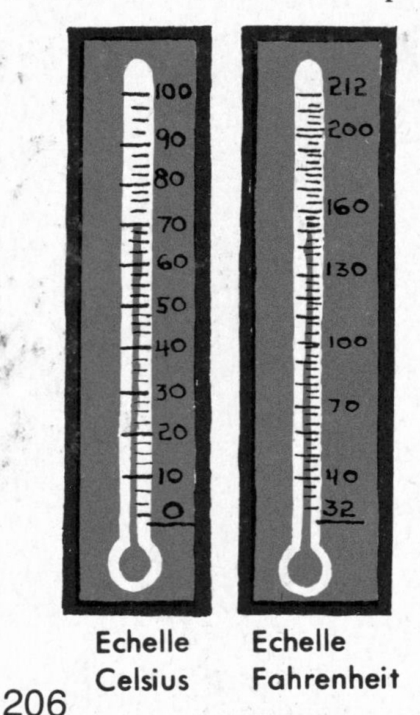

Echelle Celsius
Echelle Fahrenheit

Ce qui arrive quand on chauffe l'air

L'air se comporte comme le liquide du thermomètre: il se dilate sous l'effet de la chaleur et se contracte sous l'effet du froid. L'expérience suivante le prouve.

Sur l'ouverture d'un gobelet de métal, fixez une moitié de ballon de caoutchouc au moyen d'élastiques. Faites chauffer quelques instants; le ballon se gonfle un peu, sous l'effet de l'air qui se dilate dans le gobelet.

Placez le même gobelet dans le réfrigérateur pendant quelques instants: vous constaterez que le ballon s'est affaissé parce que l'air, dans le gobelet, a diminué de volume.

Le volume des gaz, des liquides et des solides augmente à la chaleur et diminue au froid, plus ou moins suivant les cas. Ceci s'explique par le comportement des molécules. Leur agitation est due à l'énergie calorifique: plus elles sont chauffées, plus elles s'agitent et s'écartent les unes des autres. Si on les refroidit, leur mouvement ralentit et elles se rapprochent.

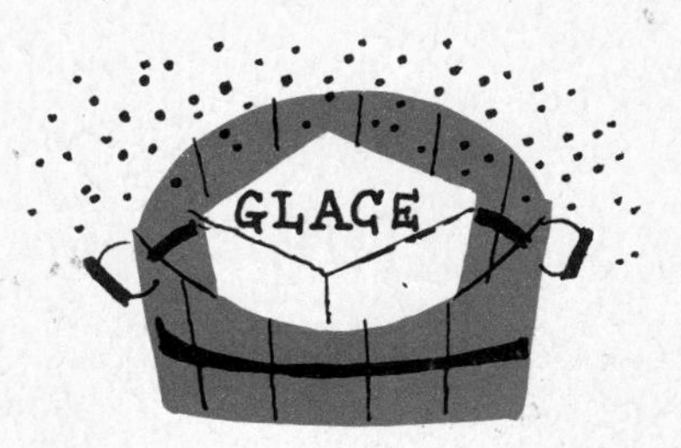

Une masse d'air froid comprimé contient plus de molécules qu'une même masse d'air chaud dilaté. On dit alors que l'air froid est plus dense que l'air chaud. Étant plus dense, donc plus lourd, il exerce sur chaque unité de surface qu'il touche une pression plus forte. Pour l'observation du temps, il est important de savoir si la pression de l'air augmente ou diminue car, généralement, une baisse de pression annonce la pluie ou les tempêtes de neige. Le thermomètre est sensible à ces changements de pression puisque la densité de l'air varie selon sa température.

L'air chaud est plus léger que l'air froid.

Les baromètres et leur fonctionnement

L'instrument qui a été spécialement conçu pour mesurer la pression atmosphérique est le baromètre. Si vous n'en avez pas à portée de la main chez vous ou à l'école, vous pouvez en fabriquer un.

Prenez une boîte en métal fermée, contenant du café sous vide, et collez l'extrémité d'une paille en papier au milieu du couvercle. Mettez un point de colle à l'endroit où la paille touche le bord du couvercle. Coupez en biseau l'extrémité libre de la paille de façon à former un style. Placez un carton derrière le style. Notez à quel endroit se trouve la paille et marquez-le sur le carton. Ajoutez quelques graduations au-dessus et au-dessous.

Pour obtenir de meilleurs résultats, gardez ce baromètre loin de tout radiateur. Ne le déplacez pas. Mettez-vous au même endroit chaque fois que vous observez la paille.

Le vide ayant été fait à l'intérieur de la boîte, quand la pression extérieure augmente, la boîte est un peu écrasée et la paille monte légèrement: c'est signe de beau temps. Quand la paille descend, la pression baisse: c'est signe de pluie ou de neige.

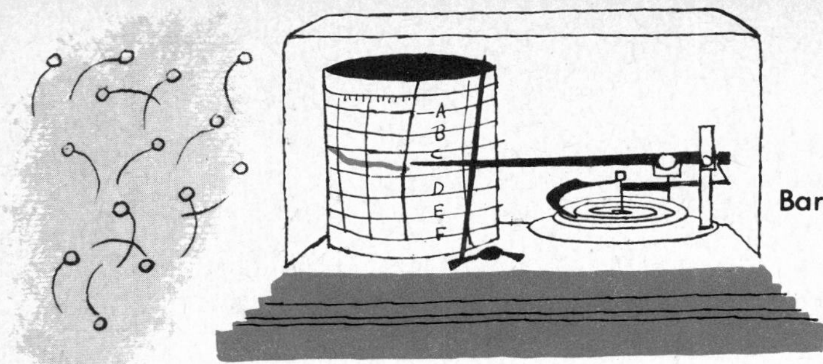

Baromètre anéroïde enregistreur (barographe)

L'instrument formé avec une boîte de café fonctionne comme un baromètre anéroïde (anéroïde signifie "sans liquide"). Celui employé par les météorologistes comprend une boîte de métal très mince sur laquelle est attaché un long style qui trace une ligne sur un cylindre tournant. L'étude de cette ligne renseigne sur les variations de la pression atmosphérique.

Dans la plupart des maisons et des bateaux, on utilise le baromètre anéroïde ordinaire, plus commode mais moins précis. Il est formé d'un cadran où une aiguille, en tournant, indique simplement la pression qui existe au moment présent.

Beaucoup plus précis est le baromètre à mercure, qu'emploient aussi les météorologistes. Il comprend un tube de verre long de 1 m (3 pieds), rempli de mercure, fermé en haut, ouvert en bas et trempant dans une cuvette de mercure. Le niveau du mercure, dans le tube, monte et descend selon que la pression atmosphérique augmente ou diminue. Derrière le tube, une échelle graduée indique la hauteur de la colonne de mercure, en millimètres ou en pouces. La pression s'exprime alors en millimètres ou en pouces de mercure.

Baromètre à mercure

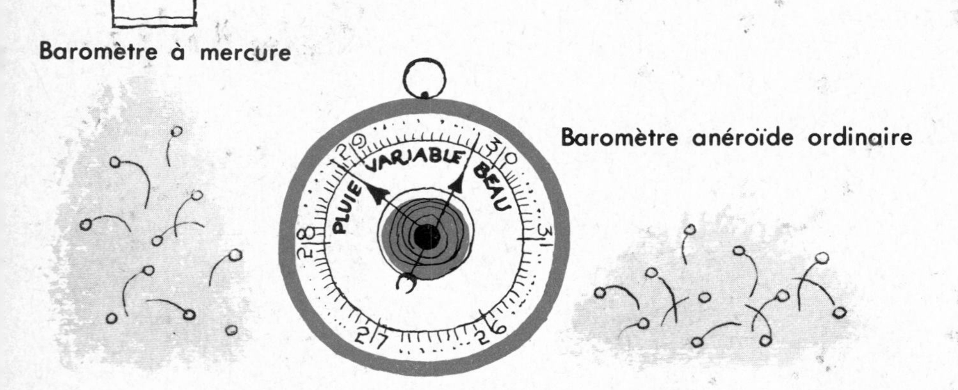

Baromètre anéroïde ordinaire

Au niveau de la mer, le mercure s'élève à 760 mm (29.92 pouces) dans le tube: c'est la pression moyenne. La hauteur du mercure peut varier de 50 mm (2 pouces) dans un sens ou dans l'autre.

Au lieu du mercure, on peut utiliser de l'eau mais, étant plus légère, elle monte et descend beaucoup plus et le tube doit être plus long. Au XVIIe siècle, le maire d'une petite ville allemande, Otto von Guericke, construisit sur ce principe un baromètre géant qui stupéfia ses concitoyens. A l'intérieur de sa maison, il installa un tube vertical qui traversait le toit et dont la base était posée dans une cuve. Il remplit d'eau le tube et la cuve, plaça dans le tube un mannequin flottant et couvrit le haut du tube avec un dôme de verre.

Quand la pression atmosphérique était haute, le mannequin était visible au-dessus du toit. Si elle baissait, le mannequin disparaissait dans la maison. Bientôt les villageois remarquèrent que la montée du mannequin semblait présager le beau temps. Certains accusèrent le maire de sorcellerie. Celui-ci les rassura en leur expliquant le phénomène.

Ancien baromètre allemand à eau

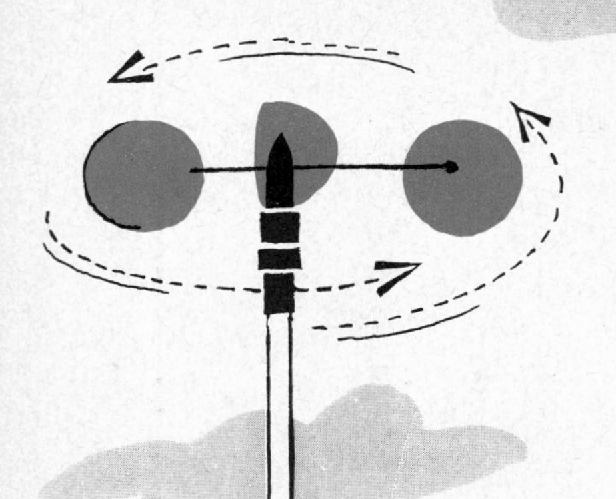

GRANDS ET PETITS VENTS

La température et la pression atmosphérique varient d'un endroit à l'autre, mais les différences de pression tendent à s'aplanir: l'air s'écoule d'une zone de haute pression vers une zone de basse pression et le vent résulte de ce déplacement. Plus la différence de pression entre les deux zones est grande, plus le vent est rapide.

La vitesse du vent détermine sa force, comme une balle: plus elle va vite, plus elle a de force. Pour déterminer approximativement la vitesse et la force du vent, vous n'avez qu'à observer son effet sur les objets qui vous entourent, un drapeau par exemple. Dans l'air calme, le drapeau pend tout droit le long de sa hampe. Il est immobile. S'il se dresse jusqu'au tiers environ de sa hauteur, c'est que le vent souffle à peu près à 16 km (10 milles) à l'heure. Si le drapeau se dresse aux deux tiers de sa hauteur, le vent souffle à 30 km (20 milles) à l'heure environ et s'il se tient pratiquement horizontal, le vent fait 50 km (30 milles) à l'heure ou plus.

Les météorologistes graduent la force du vent selon une échelle divisée en 12 échelons, dite de Beaufort, du nom de l'amiral Beaufort qui l'imagina en 1806, mais pour mesurer la vitesse du vent avec plus de précision, ils utilisent un instrument appelé anémomètre. Il se compose de trois godets métalliques fixés autour d'un axe vertical. L'appareil est relié à un compteur de vitesse. Le vent fait tourner les godets et sa vitesse est toujours indiquée par l'aiguille du compteur.

Les vents sont donc des courants d'air. Ils coulent tantôt comme de calmes rivières, tantôt comme des fleuves tumultueux. Ils

L'échelle de Beaufort

Degré	Description	Vitesse en km/h (milles/h)	Effet du vent
0	Calme	Moins de 1 (0.62)	La fumée s'élève verticalement
1	Souffle léger	1 à 5 (0.62 à 3)	Le vent incline la fumée
2	Brise faible	6 à 11 (4 à 7)	Le vent fait bouger les feuilles
3	Brise légère	12 à 19 (8 à 12)	Feuilles et branches s'agitent
4	Brise modérée	20 à 28 (13 à 18)	Le vent soulève poussière et papiers
5	Brise forte	29 à 38 (19 à 24)	Les petits arbres commencent à osciller
6	Vent fort	39 à 49 (25 à 31)	Le vent agite les grosses branches
7	Tourmente	50 à 61 (32 à 38)	Le vent gêne la marche d'un piéton
8	Vent très fort	62 à 74 (39 à 46)	Le vent brise les petites branches
9	Tempête	75 à 88 (47 à 54)	Le vent endommage cheminées et toitures
10	Forte tempête	89 à 102 (55 à 63)	Graves dégâts; arbres déracinés
11	Grande tempête	103 à 117 (64 à 73)	Ravages étendus
12	Ouragan	Plus de 117 (73)	Vent catastrophique

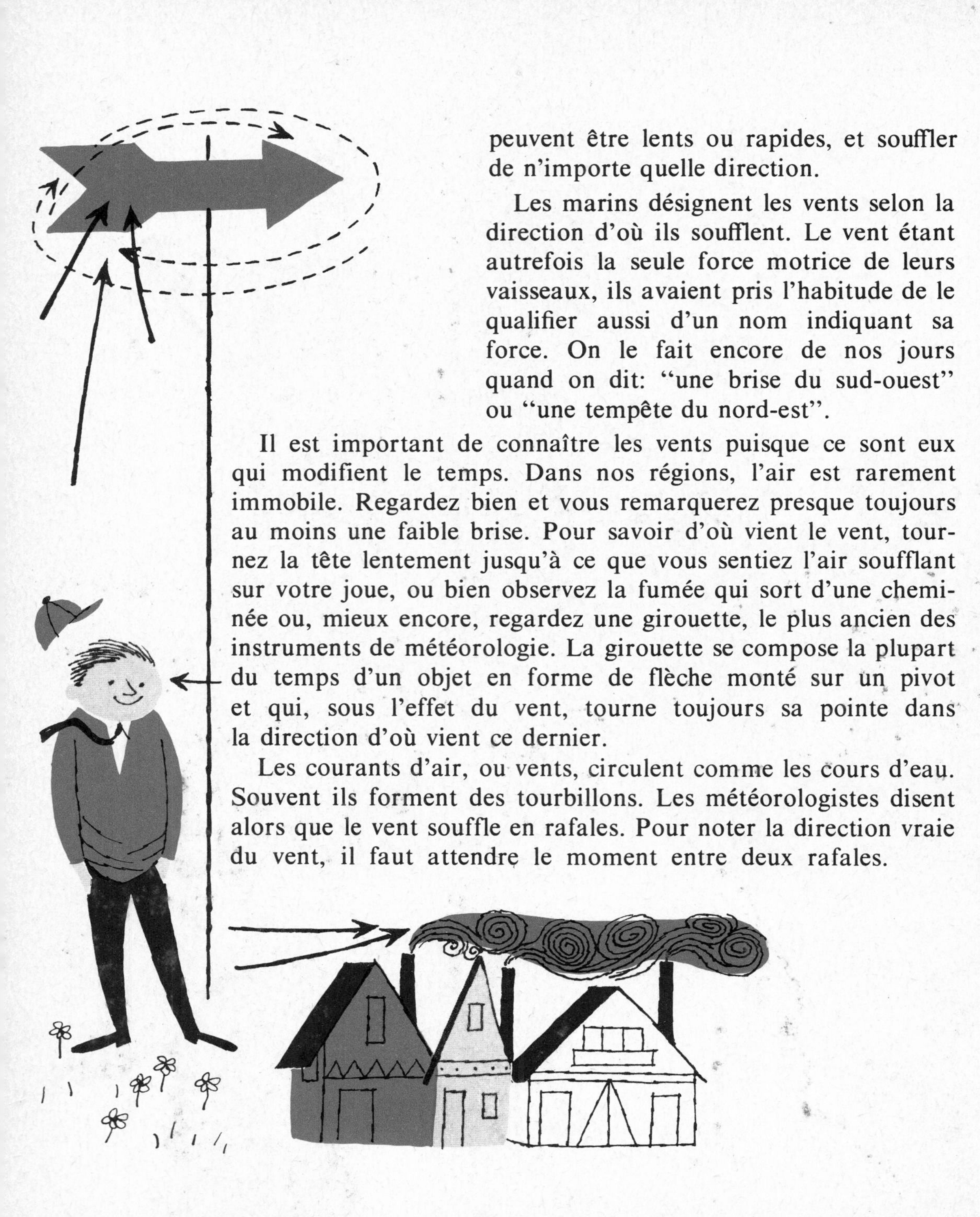

peuvent être lents ou rapides, et souffler de n'importe quelle direction.

Les marins désignent les vents selon la direction d'où ils soufflent. Le vent étant autrefois la seule force motrice de leurs vaisseaux, ils avaient pris l'habitude de le qualifier aussi d'un nom indiquant sa force. On le fait encore de nos jours quand on dit: "une brise du sud-ouest" ou "une tempête du nord-est".

Il est important de connaître les vents puisque ce sont eux qui modifient le temps. Dans nos régions, l'air est rarement immobile. Regardez bien et vous remarquerez presque toujours au moins une faible brise. Pour savoir d'où vient le vent, tournez la tête lentement jusqu'à ce que vous sentiez l'air soufflant sur votre joue, ou bien observez la fumée qui sort d'une cheminée ou, mieux encore, regardez une girouette, le plus ancien des instruments de météorologie. La girouette se compose la plupart du temps d'un objet en forme de flèche monté sur un pivot et qui, sous l'effet du vent, tourne toujours sa pointe dans la direction d'où vient ce dernier.

Les courants d'air, ou vents, circulent comme les cours d'eau. Souvent ils forment des tourbillons. Les météorologistes disent alors que le vent souffle en rafales. Pour noter la direction vraie du vent, il faut attendre le moment entre deux rafales.

Annonceurs de tempêtes

Le vent qui vient de la mer apporte généralement la pluie. C'est le cas pour celui venant de l'océan Atlantique et qui souffle sur les côtes de l'ouest de la France et sur celles de l'est de l'Amérique du Nord. Cependant, à mesure que ce vent s'avance à l'intérieur des terres, il perd de son humidité et son action adoucissante disparaît progressivement. D'autre part, les hautes chaînes de montagnes (Alpes, Montagnes Rocheuses) constituent une barrière, soit contre les vents humides et doux, soit contre les vents froids continentaux et protègent les régions qui s'y trouvent adossées.

En général, dans l'hémisphère nord, les vents qui viennent du Nord sont plus froids que ceux qui viennent du Sud.

Donc, la proximité d'une chaîne de montagnes ou de la mer peut affecter considérablement les vents qui soufflent dans votre localité et influencer les conditions climatiques. Si vous enregistrez quotidiennement la direction du vent et le temps, vous ne tarderez pas à découvrir d'où viennent les tempêtes et le mauvais temps qui affectent votre région.

Conditions climatiques créées par les vents

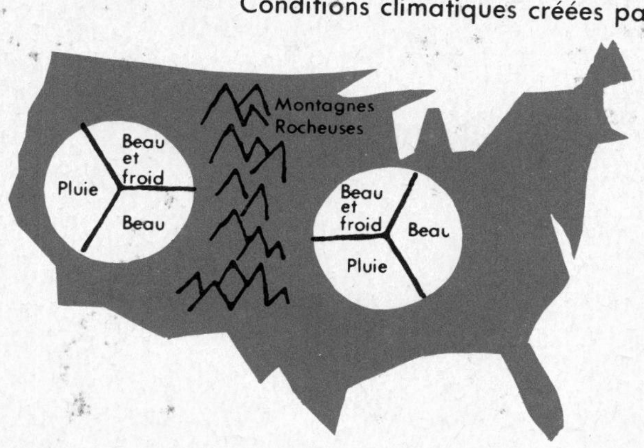

L'énergie nécessaire pour mettre un vent en mouvement est fournie par la chaleur qui dilate l'air. Quand l'air se réchauffe, il devient plus léger que l'air froid environnant et s'élève au-dessus de lui. L'air froid, plus dense, descend et, quand il s'étend sous la masse d'air chaud, le vent souffle.

Vous pouvez déclencher un vent dans votre cuisine et en suivre le déplacement. Fermez les fenêtres, allumez quelques feux de la cuisinière et ouvrez le réfrigérateur. Pour suivre les mouvements de l'air, il vous faut produire de la fumée comme ceci: prenez un bocal et jetez-y une bande de carton longue d'environ 15 cm (6 pouces), dont vous aurez enflammé une extrémité. Fermez ensuite le bocal avec un bouchon. Tenez le bocal au-dessus de la cuisinière et enlevez le bouchon: la fumée monte vers le plafond. Posez ensuite le bocal sur le plancher, devant le réfrigérateur ouvert. La fumée se rabat vers le sol et s'étend vers la cuisinière, en même temps que l'air froid.

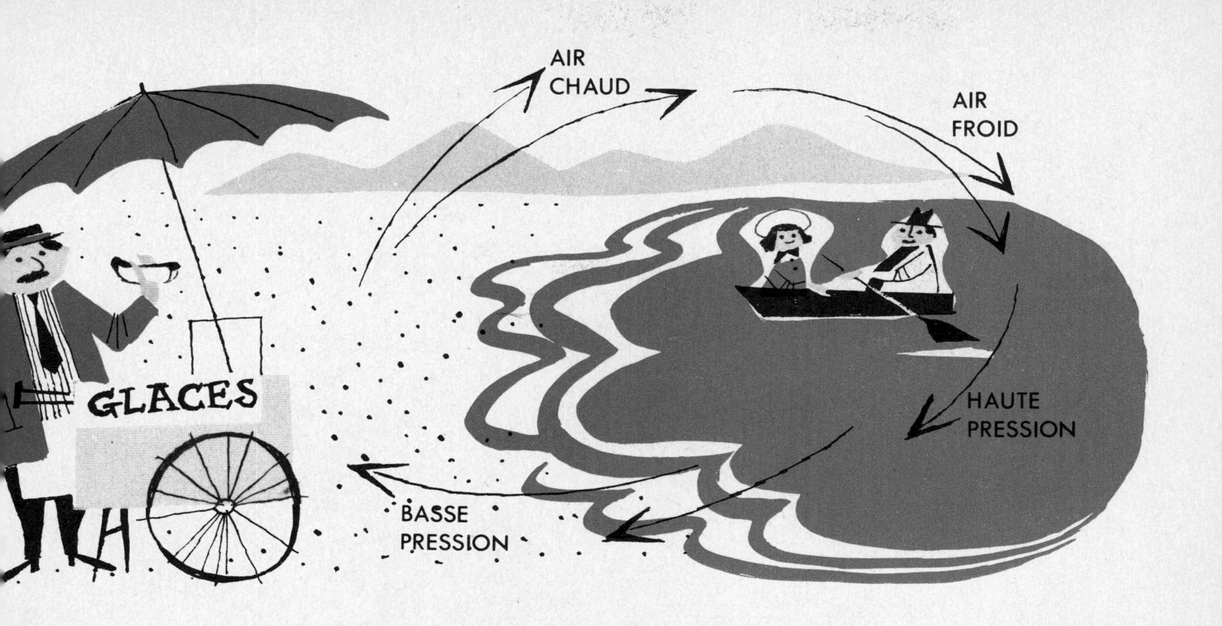

L'air froid sortant du réfrigérateur est plus dense que l'air chaud de la cuisinière et pousse l'air sur le sol vers celle-ci. Là, l'air se réchauffe et monte: il se produit un courant ascendant. A mesure qu'il s'étend, l'air se refroidit et devient plus dense et plus lourd. Il se met à redescendre vers le sol: il y a un courant descendant.

Le même phénomène a lieu dans l'atmosphère. Chaque fois que le vent souffle, l'air chaud s'élève et l'air froid descend. La brise qui souffle de la mer ou d'un lac par une chaude journée d'été en est un exemple. Le soleil réchauffe la terre plus vite que l'eau; l'air réchauffé au-dessus de la terre monte et la pression de l'air diminue à cet endroit. L'air chaud ascendant s'étend, puis se refroidit et redescend, formant au-dessus de l'eau une zone de haute pression qui chasse l'air vers la terre. La brise se met à souffler. Le soir, l'eau étant plus chaude que la terre, la brise souffle de la terre vers la mer.

Les vents planétaires

Le vent local est comme un petit courant d'air à l'intérieur d'une masse d'air plus vaste qui se déplace également. En observant ce vent local, on ne peut pas se rendre compte du mouvement général des vents de notre planète, mais les météorologistes le connaissent. Ils ont remarqué que dans chaque région, les vents soufflent généralement dans une même direction. Dans les régions tempérées de l'hémisphère nord, c'est le plus souvent de l'ouest qu'ils viennent. On les appelle des vents d'ouest dominants.

Ces vents soufflent tout autour du globe, se déplaçant de New York à Paris, à Moscou, à Pékin, à San Francisco et ainsi de suite. Deux autres groupes de vents planétaires encerclent l'hémisphère nord. Ils soufflent en sens opposé, c'est-à-dire de l'est vers l'ouest; ce sont les vents polaires et les vents d'est dominants ou alizés. Ces trois vents planétaires se répètent dans l'hémisphère sud.

Les vents planétaires, au nombre de six, sont dus aux mouvements des masses d'air entre les régions chaudes de l'équateur et les régions froides des pôles. A l'équateur, la température est si élevée que l'air chaud monte haut dans le ciel et s'étend sur de vastes étendues. Ensuite, il se refroidit et commence à descendre. Dans l'hémisphère nord, cet air tiède atteint les couches inférieures de l'atmosphère près du 30ᵉ degré de latitude. Une partie forme un courant

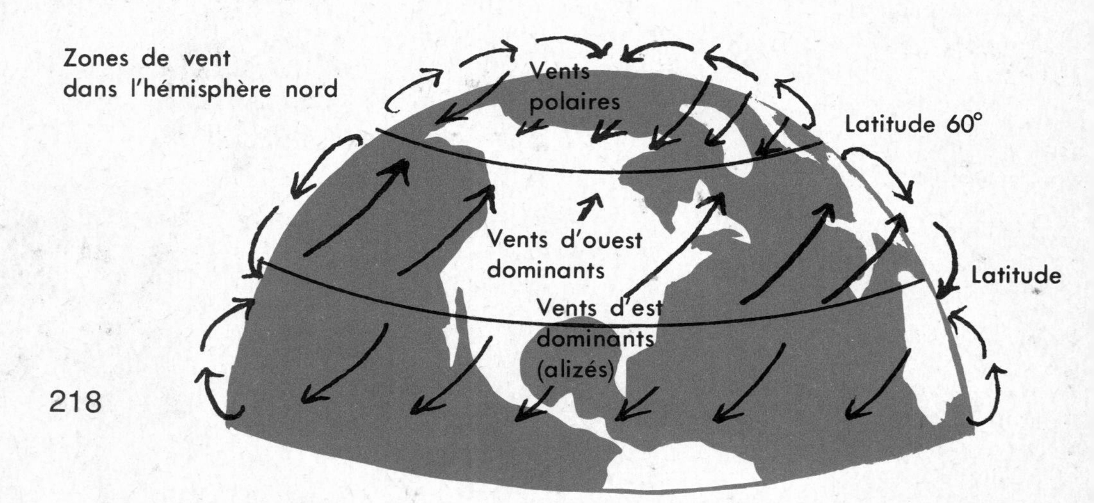

qui retourne vers l'équateur. L'autre continue en direction du nord jusqu'à une latitude de 60° environ. Ce courant se heurte alors aux masses d'air froid venant de l'Arctique qui le forcent à s'élever. Au-dessus du pôle Nord, il se refroidit complètement, devient plus lourd et descend. La pression augmentant, l'air commence à se dilater en direction de l'équateur.

Cette alternance de hautes et de basses pressions donne naissance, dans l'hémisphère nord, à trois groupes de vents planétaires: l'un dans l'Arctique, l'autre dans la zone tempérée et le troisième dans la zone tropicale. Un phénomène identique se produit dans l'hémisphère sud.

Dans les régions tempérées de l'hémisphère nord, la circulation des masses d'air se fait non pas du sud au nord, mais de l'ouest à l'est, c'est-à-dire dans le même sens que la rotation de la Terre. Celle-ci tourne plus vite à l'équateur et les courants qui se dirigent vers le pôle sont progressivement déviés vers l'est. Par contre, les vents planétaires qui se déplacent du pôle à l'équateur traversent des régions où la rotation est de plus en plus rapide. Leur cours est ainsi dévié vers l'ouest et ils deviennent des vents d'est dominants.

Voyez ce qui se passe quand vous voulez tracer une ligne droite sur une surface en rotation. Avec la main, faites tourner un disque dans la même direction que la Terre, de l'ouest à l'est. Tracez avec un morceau de craie une ligne vers le centre du disque, là où la vitesse de rotation est la plus faible. Vous obtiendrez une ligne courbée dans la direction où tourne le disque. C'est ainsi que se forment les vents d'ouest dominants.

Tracez maintenant une ligne à partir du centre vers l'extérieur; elle va dévier dans le sens contraire à la rotation, tout comme les vents alizés.

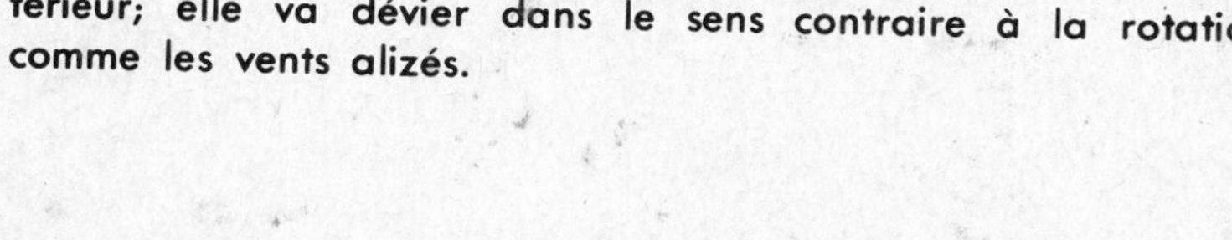

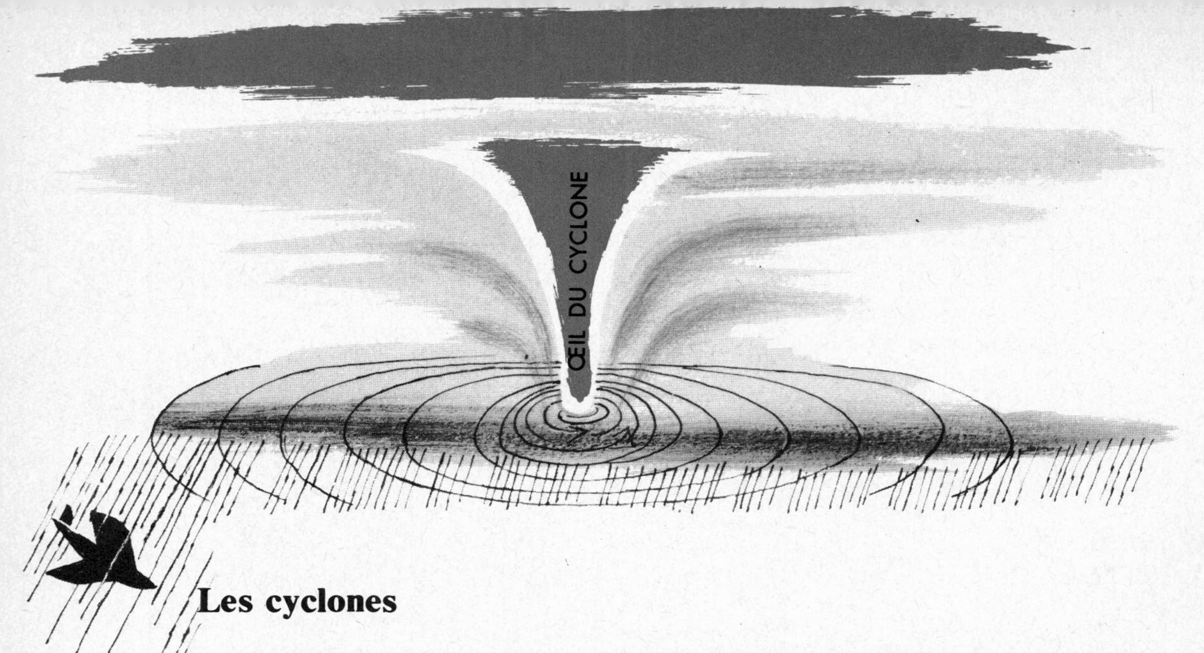

Les cyclones

Parfois, une masse d'air provenant de la zone des alizés envahit la zone des vents d'ouest. Il se forme alors un gigantesque tourbillon appelé cyclone, qui a généralement 160 à 320 km (100 à 200 milles) de large. Tournant autour d'une étroite zone d'air calme, le vent pousse d'épais nuages noirs et une pluie abondante et souffle à une vitesse qui peut atteindre 250 km (150 milles) à l'heure, tandis que la spirale tout entière se déplace à environ 25 km (15 milles) à l'heure. La durée moyenne d'un cyclone est de 9 jours et la distance qu'il parcourt atteint des milliers de kilomètres.

Les cyclones s'apaisent à mesure qu'ils s'éloignent dans les terres, mais ils sèment sur leur passage la destruction et souvent la mort. En mer, ils provoquent des vagues gigantesques qui déferlent sur les côtes et y font presque autant de dégâts que le vent lui-même.

Les météorologistes surveillent les cyclones au moyen du radar, mais ils vont en observer l'intérieur en avion. A l'intérieur du cyclone, l'avion est violemment secoué mais, arrivé au centre, il trouve une zone calme et sereine sous un ciel bleu, entourée d'un mur de nuages épais: c'est l'œil du cyclone, autour duquel le vent fait rage.

A chaque cyclone, les météorologistes donnent un nom féminin choisi dans l'ordre alphabétique. Le premier cyclone de la saison reçoit un nom commençant par A; le second, un nom commençant par B et ainsi de suite. Une liste de noms différents est ainsi préparée chaque année, mais elle va rarement plus loin que la lettre L car, dans une région donnée, il y a rarement plus de 12 cyclones par an.

Les tornades

La tornade est une masse d'air tournant en spirale, comme le cyclone, mais elle est beaucoup moins étendue et sa course est beaucoup moins longue. Elle peut se former de la façon suivante: une masse d'air froid et sec se déplaçant vers l'est rencontre une masse d'air très chaud et humide venant du sud. D'épais nuages noirs se forment et des orages éclatent.

Soudain une colonne d'air chaud s'élève et se met à tourner à une vitesse qui peut atteindre 500 km (300 milles) à l'heure. Elle aspire la vapeur d'eau qui se refroidit et se condense en un nuage qui prend la forme d'un entonnoir. C'est la terrible trombe, la plus violente et la plus imprévisible des manifestations du vent. La trombe est le centre d'un tourbillon ascendant qui s'avance avec un grondement que l'on entend à des kilomètres de distance et qui passe sur le sol comme un aspirateur gigantesque. Le vide qu'elle crée est parfois suffisant pour que des maisons ou des granges éclatent littéralement sous l'effet de la brusque libération de la pression d'air intérieure. On a vu des tornades soulever des trains de leurs rails et faire tournoyer des camions dans les airs.

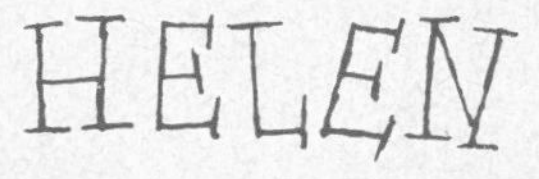

La seule chose qu'on puisse dire en faveur des tornades, c'est qu'elles sont de faible étendue. Leur largeur ne dépasse guère 1,60 km (1 mille) et leur course, 7 km (4.50 milles). Leur durée moyenne totale est d'à peu près 8 minutes, mais elles avancent si vite que leur passage en un point donné ne dure qu'environ 15 secondes!

La tornade est un cyclone en miniature, un phénomène local, et les météorologistes ne peuvent prévoir l'endroit exact où elle se produira, mais ils peuvent généralement savoir quelle région est menacée. Ils avertissent alors les habitants et ceux-ci ont le temps de se mettre à l'abri. Pourtant, chaque année, les tornades font de nombreuses victimes.

Les tornades et les trombes peuvent se produire à peu près partout, mais il y en a le plus souvent dans les régions plates comme les vastes plaines et les océans.

L'EAU PRÉSENTE PARTOUT

Certaines personnes disent que notre planète devrait s'appeler Mer plutôt que Terre car l'eau recouvre plus des deux tiers de sa surface. L'air aussi contient de l'eau mais sous forme d'un gaz invisible appelé vapeur d'eau.

La mer ne cesse de s'évaporer mais elle se remplit à mesure. Chaque jour, des millions de tonnes d'eau sont transformées en vapeur atmosphérique mais aussi, chaque jour, une quantité d'eau presque égale tombe dans la mer sous forme de pluie ou de neige. Le reste revient à la mer par tous les fleuves du monde.

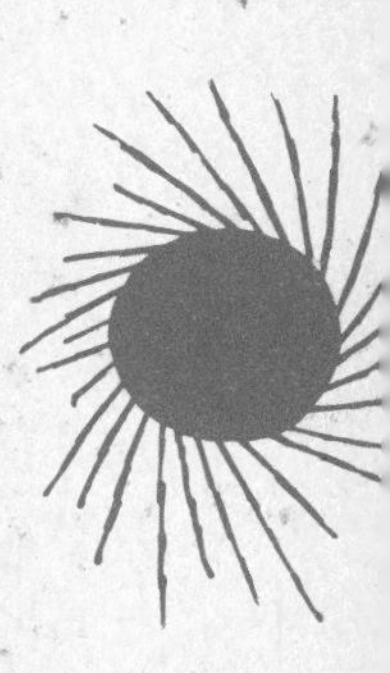

Si éloigné que vous puissiez être de la mer, l'air que vous respirez contient des molécules de vapeur d'eau qui en proviennent, apportées par les vents, mais cet air contient aussi de la vapeur d'eau produite par les feuilles des plantes, la respiration des êtres vivants et l'évaporation des lacs et cours d'eau de chaque région. Mais, en général, la vapeur d'eau atmosphérique provient en majeure partie des océans.

Il serait intéressant de voir comment l'eau se transforme en vapeur. Les molécules d'eau sont toujours très agitées. Elles s'entrechoquent au passage et certaines sont accélérées davantage. Si cela se produit à la surface de l'eau, les molé-

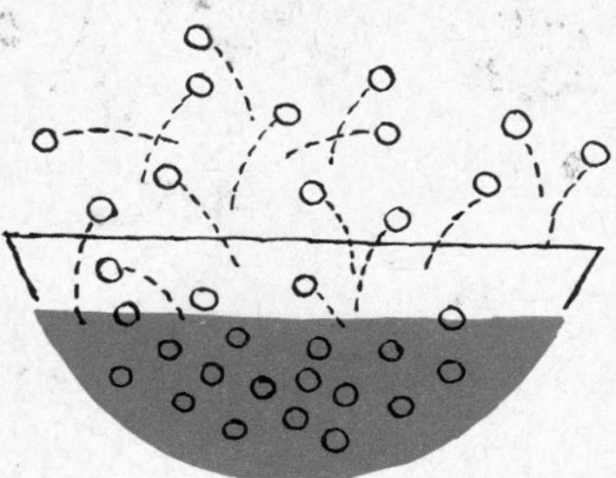

cules sont projetées dans l'air: c'est la vapeur d'eau. On dit alors qu'elles s'évaporent. Plus on chauffe l'eau, plus ses molécules gagnent d'énergie et s'agitent, et plus elles s'évaporent vite.

L'air peut contenir une forte proportion de vapeur d'eau tout en restant sec car, sous forme de gaz, les molécules d'eau sont très dispersées. Elles n'adhèrent pas aux objets et ne les mouillent donc pas. L'air devient humide seulement s'il se refroidit, ce qui ralentit et rapproche les molécules, lesquelles se rassemblent sous forme de gouttes d'eau. On dit alors qu'elles se condensent. Si la température est 0 °C (32 °F) ou moins, les molécules d'eau se rapprochent davantage et forment la glace. L'eau entre dans l'air par évaporation et en sort par condensation. C'est ce qui se passe en ce moment même, autour de vous.

Dans une masse d'air équivalente à un édifice de dix étages couvrant un pâté de maisons, il y a de 50 à 20 000 livres d'eau sous forme de gaz. La proportion de vapeur d'eau dans l'air varie constamment. Elle dépend de la température de l'air: à une température donnée, l'air peut contenir une certaine quantité de vapeur d'eau, mais pas davantage. Cette limite atteinte, il ne peut plus en absorber et l'on dit qu'il est saturé. Plus l'air est chaud, plus il peut absorber de vapeur d'eau. A 27 °C (80 °F), il peut en contenir 20 fois plus qu'à —18 °C (0 °F).

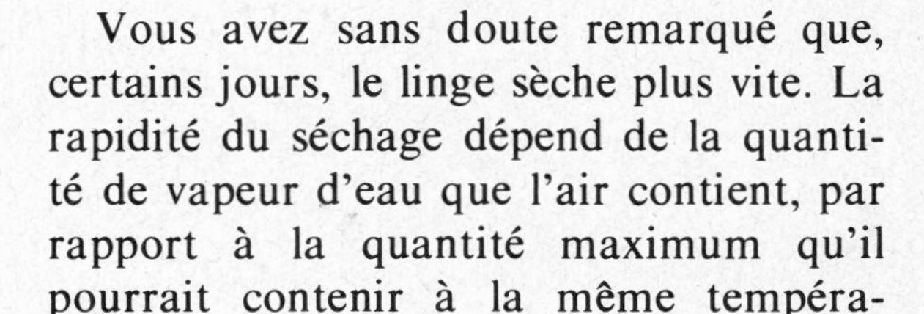

Vous avez sans doute remarqué que, certains jours, le linge sèche plus vite. La rapidité du séchage dépend de la quantité de vapeur d'eau que l'air contient, par rapport à la quantité maximum qu'il pourrait contenir à la même température.

Quand le linge sèche vite, c'est que l'air contient relativement peu de vapeur d'eau, mais s'il sèche lentement, c'est que l'air a presque atteint son point de saturation.

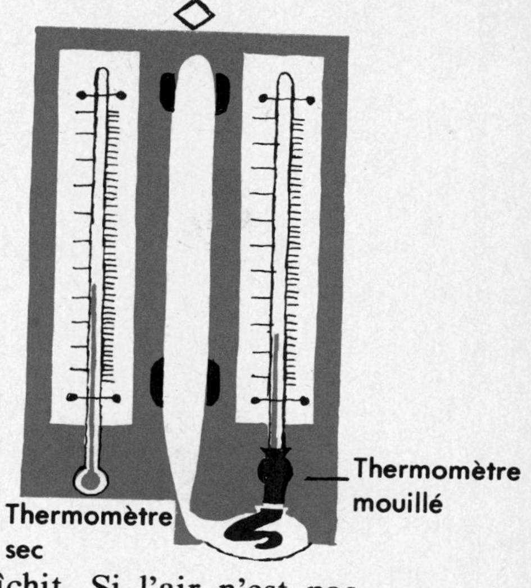

Mesure de l'humidité

La quantité de vapeur que contient l'air s'appelle son degré d'humidité, dont dépend notre confort. Humectez un doigt et agitez-le en l'air: remarquez la sensation de froid pendant qu'il sèche. C'est parce que l'évaporation absorbe de la chaleur, en l'occurrence celle de votre doigt. De même, la transpiration vous rafraîchit. Si l'air n'est pas trop humide, la sueur s'évapore vite et vous rafraîchit, mais si l'air est humide, la sueur s'évapore lentement et ne vous rafraîchit pas. C'est alors que les gens se plaignent, non de la chaleur, mais de l'humidité.

Le météorologiste mesure le degré d'humidité au moyen d'un instrument appelé hygromètre. Celui-ci se compose de deux thermomètres ordinaires dont l'un a le réservoir entouré d'une mousseline mouillée. Si l'air est saturé, l'eau ne s'évapore pas de la mousseline et les deux thermomètres indiquent la même température. Dans le cas contraire, l'eau s'évapore et refroidit le thermomètre mouillé, qui indique ainsi une température inférieure à celle du thermomètre sec. Plus l'évaporation est rapide, plus la différence entre ces deux températures est grande. Cette différence indique l'humidité relative de l'air, c'est-à-dire la quantité d'humidité réelle de l'air par rapport à la quantité d'eau maximum qu'il pourrait contenir, à la même température.

On indique par 100% l'humidité relative de l'air saturé. S'il contient les trois quarts de l'humidité qu'il peut absorber, son humidité relative est de 75%; s'il en contient la moitié, son humidité relative est de 50%, et ainsi de suite.

Le météorologiste constate la différence de température entre les deux thermomètres, puis il consulte une table qui lui donne immédiatement le degré d'humidité relative correspondant. Si le degré est très faible, il prévoit un temps clair, sans nuage. Dans le cas contraire, il prévoit que la moindre baisse de température provoquera des nuages et de la pluie ou de la neige.

Différence de température entre les thermomètres sec et mouillé	**Température indiquée par le thermomètre sec en °C (°F)**											
0,6 °C (1 °F)	-23 (-10)	-18 (0)	-12 (10)	-7 (20)	-1 (30)	4 (40)	10 (50)	16 (60)	21 (70)	27 (80)	32 (90)	38 (100)
1,2 (2)	55%	71%	80%	86%	90%	92%	93%	94%	95%	96%	96%	97%
2 (3)	10%	42%	60%	72%	79%	84%	87%	89%	90%	92%	92%	93%
2,5 (4)	—	13%	41%	58%	68%	76%	80%	84%	86%	87%	88%	90%
3 (5)	—	—	21%	44%	58%	68%	74%	78%	81%	83%	85%	86%
4 (6)	—	—	—	16%	38%	52%	61%	68%	72%	75%	78%	80%
5 (8)	—	—	—	—	18%	37%	49%	58%	64%	68%	71%	74%
6 (10)	—	—	—	—	—	22%	37%	48%	55%	61%	65%	68%
7 (12)	—	—	—	—	—	8%	26%	39%	48%	54%	59%	62%
8 (14)	—	—	—	—	—	—	16%	30%	40%	47%	53%	57%
10 (16)	—	—	—	—	—	—	5%	21%	33%	41%	47%	51%
11 (18)	—	—	—	—	—	—	—	13%	26%	35%	41%	47%
12 (20)	—	—	—	—	—	—	—	5%	19%	29%	36%	42%
13 (22)	—	—	—	—	—	—	—	—	12%	23%	32%	37%
14 (24)	—	—	—	—	—	—	—	—	6%	18%	26%	33%

INDICATEURS D'HUMIDITÉ

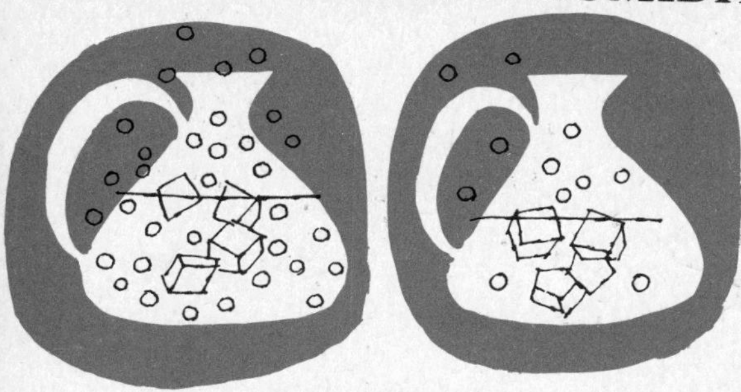

Condensation sur un pot d'eau glacée

Des gouttelettes d'eau se forment sur le pot d'eau quand l'humidité de l'air se condense au contact du verre froid. Placez dehors un pot d'eau glacée et essuyez-le pour qu'il soit sec. Si les gouttelettes de condensation se forment très vite, c'est que l'air est presque saturé et l'on peut s'attendre à de la pluie. Dans le cas contraire, c'est que le degré d'humidité relative est faible et que le temps sera probablement beau.

La cabane hygrométrique

Les deux personnages qui se trouvent dans cette cabane sont montés sur une barre suspendue à un bout de corde de boyau (catgut). Quand l'humidité relative est élevée, la corde s'imprègne de vapeur d'eau et s'allonge en se détendant. La fillette sort de la cabane et le garçon y entre. Quand l'humidité est faible, c'est l'inverse qui se produit.

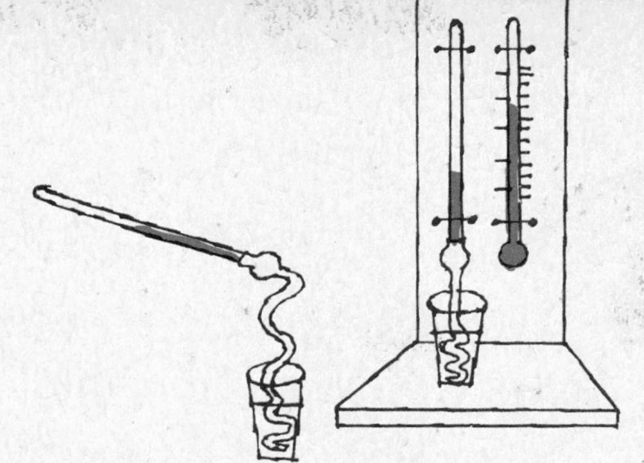

Comment fabriquer un hygromètre

Pour le thermomètre mouillé, coupez les extrémités d'un lacet en coton blanc. Faites-le bouillir pour le nettoyer. Enfilez le réservoir du thermomètre dans une extrémité et faites tremper l'autre dans une petite bouteille d'eau. Fixez ce thermomètre mouillé à côté d'un autre thermomètre semblable mais sec. Placez l'appareil dehors et constatez la différence de température indiquée par les deux thermomètres. Pour accélérer l'évaporation, soufflez sur le réservoir mouillé. Trouvez le degré d'humidité relative en consultant la table de la page 42.

Fleurs hygrométriques

Des fleurs en papier qui ont été trempées dans du chlorure de cobalt changent de couleur selon le degré d'humidité de l'air: elles deviennent roses quand l'humidité est élevée et bleues quand l'air est sec. Achetez chez le pharmacien un peu de chlorure de cobalt ou prenez-en dans un jeu de chimiste. Faites-le dissoudre dans de l'eau pour obtenir une solution foncée, puis trempez-y une fleur rose et faites-la sécher.

La rosée et le givre

L'eau contenue dans l'air se condense souvent près du sol; elle forme alors la rosée qui se dépose sur l'herbe, les fleurs et les buissons, pendant les belles nuits d'été. Les plantes se refroidissent très vite ainsi que le sol, ce qui refroidit aussi la couche d'air en contact avec la terre presque jusqu'à son point de saturation, appelé point de rosée. Les molécules d'eau s'agglomèrent sur les surfaces froides et forment des gouttes de rosée.

La rosée ne se forme pas s'il y a du vent parce que ce dernier brasse les couches d'air et les empêche de se refroidir au contact du sol. Les nuages empêchent aussi la rosée de se former parce qu'ils constituent une couverture qui garde leur chaleur à l'air et au sol.

La rosée ne se forme que si la température dépasse 0 °C (32 °F). Au-dessous, la vapeur d'eau gèle. Elle forme de petits cristaux de glace sur les objets, les plantes, et à l'intérieur des vitres: c'est la gelée blanche ou le givre.

La rosée ou la gelée, le matin, sont parmi les meilleures indications du temps. Cela signifie que la nuit a été claire et fraîche et qu'il fera probablement beau.

Le brouillard et la pollution de l'air

Quelquefois, la condensation de l'humidité atmosphérique en fines gouttelettes, à la surface du sol, donne ce que l'on appelle du brouillard (ou de la brume). Ces gouttelettes légères se produisent quand l'air humide en contact avec le sol froid descend à son point de rosée. Elles sont si fines qu'elles flottent dans l'air. S'il fait très froid, elles peuvent se transformer en particules de glace.

En mer, la brume se forme quand le vent pousse de l'air chaud et humide au-dessus d'une étendue d'eau froide. Les marins appellent cela de la "purée de pois". La brume terrestre se forme quand le vent chaud et humide venant de la mer passe sur la terre froide.

Le "smog", mot anglais créé aux Etats-Unis à partir de "smoke" (fumée) et "fog" (brouillard), se forme dans les grandes villes par condensation de l'humidité sur de fines particules de suie provenant des cheminées de maisons et d'usines, et des gaz d'échappement des voitures.

Le smog est une menace pour la santé. Il résulte de la pollution de l'air par les impuretés et présente un grave problème pour les habitants des villes modernes.

La formation des nuages

Les nuages se forment quand l'air se refroidit et que l'humidité se condense. Cela se produit quand l'air passe au-dessus d'une surface plus froide et quand il s'élève. La chaleur peut dilater l'air et le faire monter. L'air peut être aussi soulevé quand le vent souffle en remontant une pente ou quand une masse d'air plus dense se glisse au-dessous de l'air chaud. Plus l'air s'élève, plus il se dilate sous l'effet de la baisse de pression.

Si vous gonflez un pneu de bicyclette, vous comprendrez ce qui arrive à l'air quand sa pression change. Vous constaterez vite que la pompe devient très chaude: l'air compressé dans la pompe s'est réchauffé. L'air est chaud aussi dans le pneu, mais l'air qui en sort est froid. C'est parce que l'air se refroidit en se dilatant, quand il sort du pneu.

Il en est de même dans l'atmosphère. L'air qui descend se comprime et se réchauffe, tandis que l'air qui monte se dilate et se refroidit. Mais l'air frais ne peut plus contenir autant de vapeur d'eau que l'air chaud. Donc, si la température baisse jusqu'au point de rosée, sa vapeur d'eau se condense en fines gouttelettes ou, s'il fait froid, en cristaux de glace qui restent en suspension dans l'air: un nuage s'est formé. Vous pouvez vous-même reproduire ce phénomène dans une bouteille à lait. Voici comment:

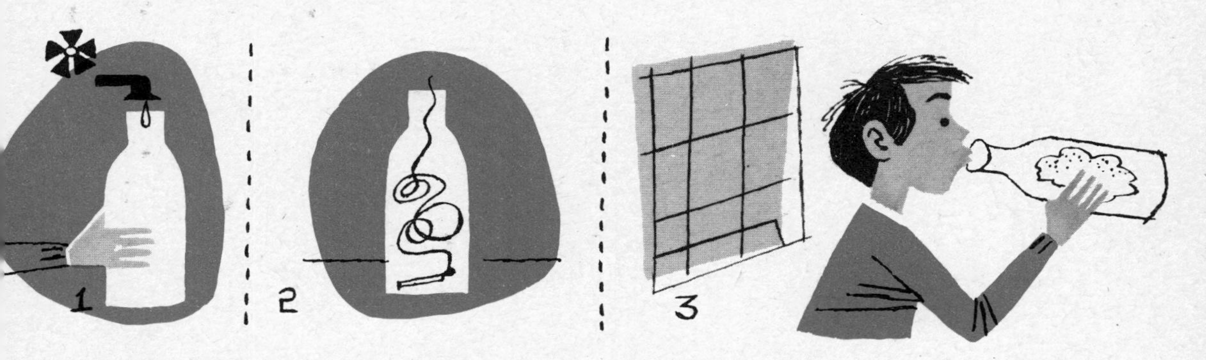

Avec de l'eau chaude, mouillez l'intérieur d'une bouteille à lait bien propre. Jetez-y ensuite une allumette enflammée. Elle s'éteint immédiatement mais elle laisse un peu de fumée faite de particules sur lesquelles la vapeur d'eau peut se condenser.

Tournez le dos à la lumière de façon à pouvoir observer ce qui se passe. Aspirez l'air de la bouteille: un petit nuage se formera à l'intérieur.

Quand vous avez aspiré l'air de la bouteille, le reste d'air s'est dilaté et s'est refroidi, ce qui a provoqué la condensation de l'humidité sous forme d'un petit nuage. Aussitôt que vous laissez l'air extérieur plus chaud entrer dans la bouteille, le nuage s'évapore.

Vous comprenez maintenant qu'une baisse de la pression atmosphérique annonce l'arrivée prochaine d'un orage: l'air détendu se refroidit et forme un nuage d'où la pluie va bientôt tomber. Si la pression atmosphérique augmente, c'est que l'air se comprime et s'échauffe: les nuages vont s'évaporer, le temps sera beau.

Classification des nuages

Il y a une grande variété
de nuages que l'on peut
classer en trois groupes:
cumulus - ronds et touffus
stratus - en bandes horizontales
cirrus - en fins filaments

On distingue en outre
trois types mixtes:
strato-cumulus
cirro-stratus
cirro-cumulus

Tous les types sont groupés en familles: les nuages bas, jusqu'à 2 000 m (6 500 pieds), comprennent les stratus et les strato-cumulus.

Les nuages d'altitude moyenne, jusqu'à 6 000 m (20 000 pieds), sont les altocumulus et les altostratus.

Les nuages hauts, formés de cristaux de glace, entre 6 000 m et 12 000 m (20 000 à 40 000 pieds), comprennent les cirrus, cirro-stratus et cirro-cumulus.

Certains nuages d'orage s'élèvent en colonne jusqu'à des milliers de mètres. Ce sont des cumulus et des cumulo-nimbus.

Le code des nuages

Les nuages sont des indices fournis par la nature. Si vous parvenez à les déchiffrer, vous saurez ce qui se passera dans l'atmosphère.

Lorsque l'air calme se refroidit, l'humidité se condense en bandes régulières, formant des stratus. Mais si l'air monte en se refroidissant, les nuages seront plats à la base et arrondis en haut. Ce sont alors des cumulus. Ils peuvent se former à des altitudes basses, moyennes ou hautes. A altitude moyenne, ils portent les noms d'altostratus et altocumulus. S'ils sont très hauts, on les appelle des cirro-stratus et cirro-cumulus.

A haute altitude, les nuages ne sont pas épais, car il y a très peu d'humidité dans l'air; ils sont tous formés de cristaux de glace. Lorsque les cirrus apparaissent en filaments dans le ciel, c'est un signe de beau temps. Les cirro-stratus forment un voile transparent parfois sur toute la largeur du ciel; ils n'apportent pas la pluie, mais ils présagent souvent l'apparition de nuages d'orage. Il en est de même des cirro-cumulus, qui rappellent les écailles d'un poisson.

Les altocumulus et les altostratus sont plus volumineux. S'ils descendent et s'épaississent, ils peuvent apporter le mauvais temps.

Des couches basses de stratus peuvent se former pendant la nuit, quand l'air se refroidit; ils disparaissent généralement avec le soleil du matin, mais s'ils persistent et s'assombrissent, ou bien se transforment en strato-cumulus, la pluie n'est pas loin.

Gare au mauvais temps quand les nuages s'épaississent. En général, plus ils sont hauts, plus le temps est beau. Cependant, les cumulus sont une exception. Par une belle journée, on voit de grosses touffes laineuses glisser dans le ciel, mais une petite touffe qui grossit dans la journée est un signe d'orage; à la fin de l'après-midi, il se formera peut-être un énorme nuage noir d'où tombera une pluie torrentielle.

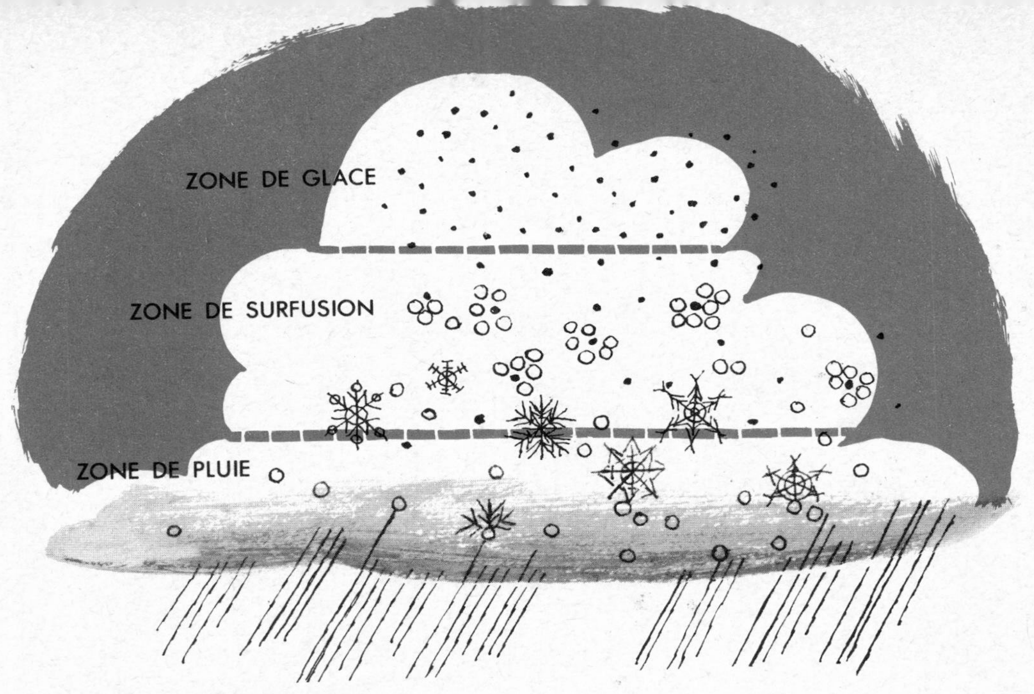

Les précipitations

Lorsque l'air est saturé d'humidité, celle-ci se condense en minuscules gouttelettes et un nuage apparaît soudainement. Ces gouttelettes sont si légères qu'elles restent en suspension dans l'air. La pluie ne tombe que lorsqu'elles se groupent pour former de grosses gouttes. Il faut parfois des heures pour qu'elles atteignent la taille voulue.

Comment se forment les gouttes de pluie? Dans les nuages qui sont composés d'eau, on pense qu'elles se forment autour de particules de sel, ou autour de gouttelettes plus grosses que les autres. Dans les nuages formés de glace et d'eau, les gouttes grossissent autour des cristaux. En tombant à l'intérieur du nuage, les cristaux de glace traversent une zone de surfusion, c'est-à-dire où l'eau reste liquide même à une température inférieure à celle de congélation. Là, les cristaux de glace et les gouttelettes d'eau se mélangent; la glace attire l'eau qui gèle sur les cristaux et des flocons de neige commencent à se former. Lorsqu'ils deviennent trop gros et trop lourds, les courants ascendants ne peuvent plus les maintenir suspendus et ils tombent. Lorsqu'ils atteignent la partie inférieure du nuage, où la température est supérieure au point de congélation, les flocons de neige fondent et se transforment en gouttes de pluie.

En tombant, les gouttes se divisent. Les plus grosses qui touchent le sol dépassent rarement 2,50 mm (1/10 de pouce) de diamètre et les plus petites, 0,50 mm (1/50 de pouce). Les gouttes encore plus fines forment la bruine.

Il est difficile de mesurer les gouttes de pluie avec précision, mais voici un moyen de le faire approximativement.

Prenez un compte-gouttes et mesurez la largeur de son ouverture avec une règle. Cela vous donnera le diamètre des gouttes qu'il forme. Ensuite, avec ce compte-gouttes, faites tomber quelques gouttes d'eau dans une poêle contenant de la farine. Chaque goutte laissera une trace dans la farine.

Ensuite, en abritant ces traces avec une feuille d'aluminium, allez dehors et tendez la poêle sous la pluie un instant, pour y faire d'autres traces. En comparant ces dernières avec celles faites par le compte-gouttes, vous aurez une idée de leur grosseur.

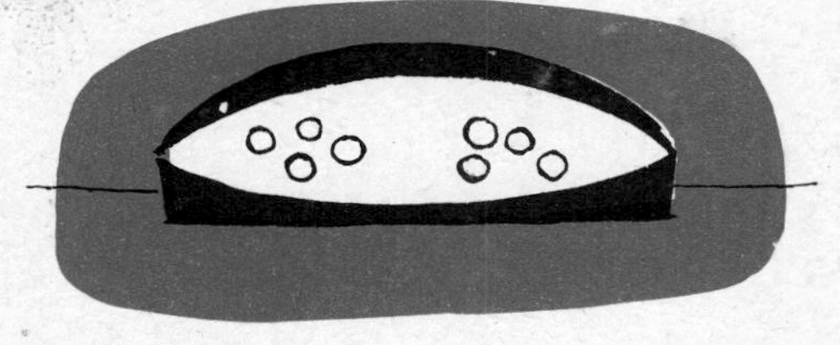

Pour mesurer la pluie

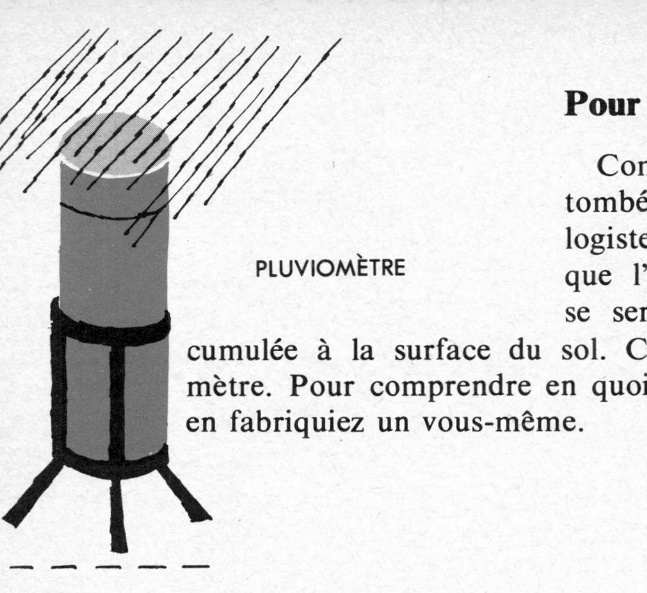

Comment sait-on combien de pluie est tombée au cours d'un orage? Le météorologiste dispose d'un instrument qui indique l'épaisseur de la couche d'eau qui se serait formée si la pluie s'était accumulée à la surface du sol. Cet instrument s'appelle un pluviomètre. Pour comprendre en quoi il consiste, le mieux est que vous en fabriquiez un vous-même.

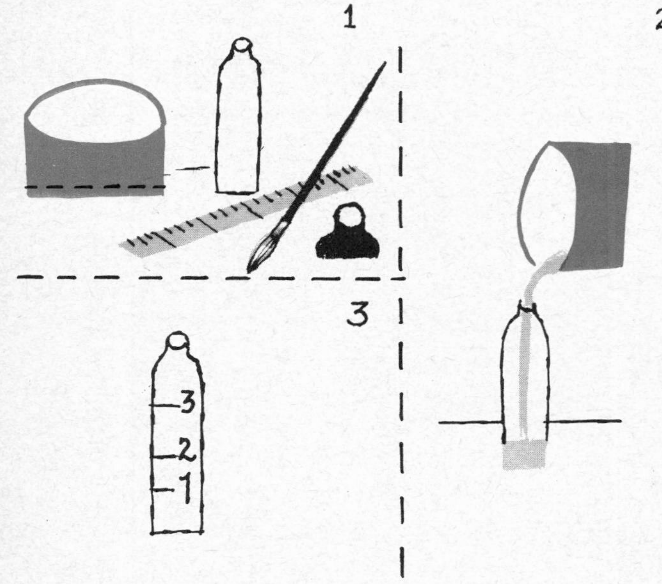

1. Procurez-vous de la peinture noire, un pinceau fin, une règle, une bouteille étroite et une boîte de conserve d'un diamètre de 20 cm (8 pouces) environ.

2. Graduez la bouteille de la façon suivante: dans la boîte de conserve, versez de l'eau jusqu'à 3 cm (1 pouce) de profondeur. Versez cette eau dans la bouteille.

3. Marquez le niveau de l'eau par un trait de peinture et le chiffre 3. Videz la bouteille. Versez de nouveau de l'eau dans la boîte, cette fois jusqu'à 2 cm (0.50 pouce) de profondeur. Répétez l'opération avec 1 cm (0.25 pouce) d'eau.

4. Placez la boîte à l'extérieur de façon à ce qu'elle ne se renverse pas. Après un orage, versez dans la bouteille l'eau ainsi recueillie et voyez quelle hauteur elle a atteint.

Sauf dans les régions sèches, il tombe souvent de 2 à 3 cm (environ 1 pouce) de pluie au cours d'un seul orage.

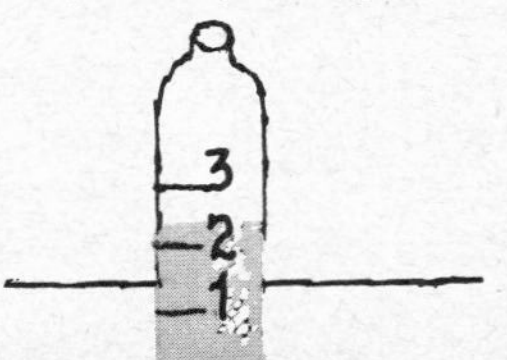

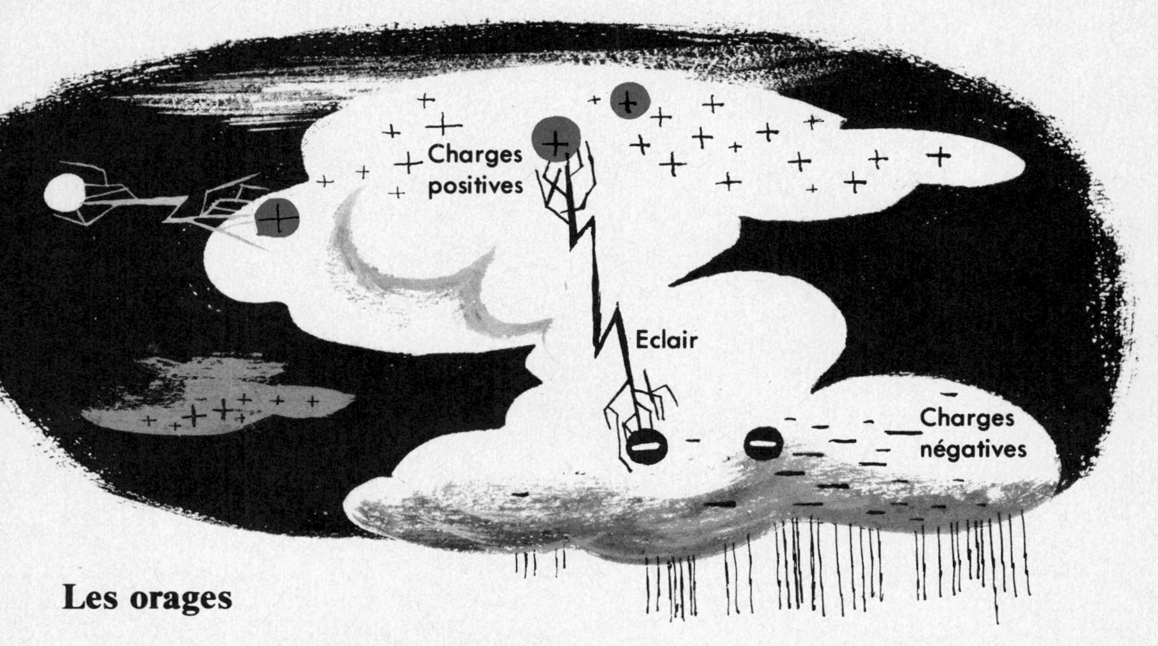

Les orages

Parfois une masse d'air chaud et humide s'élève en courants tourbillonnants et sa vapeur d'eau se condense en formant un gros cumulus cotonneux. Au sommet, où la vapeur d'eau gèle, se forment des mèches de cirrus couronnant la tête du cumulus. A mesure que la vapeur d'eau s'accumule, la base du nuage s'élargit et s'assombrit. Le nuage devient un cumulo-nimbus et bientôt il va produire des éclairs.

De puissants courants d'air le traversent. Les gouttes d'eau et les flocons de neige tourbillonnent à l'intérieur et se chargent d'électricité, laquelle prend deux formes: positive (désignée par le signe+) et négative (désignée par le signe−). Chacune se développe en un point différent du nuage, mais elles subissent une forte attraction l'une pour l'autre.

Soudain, une charge d'électricité négative s'élance vers une charge positive sous forme d'un violent courant qui, pendant une fraction de seconde rend lumineuses les molécules d'air. Ce courant est un éclair.

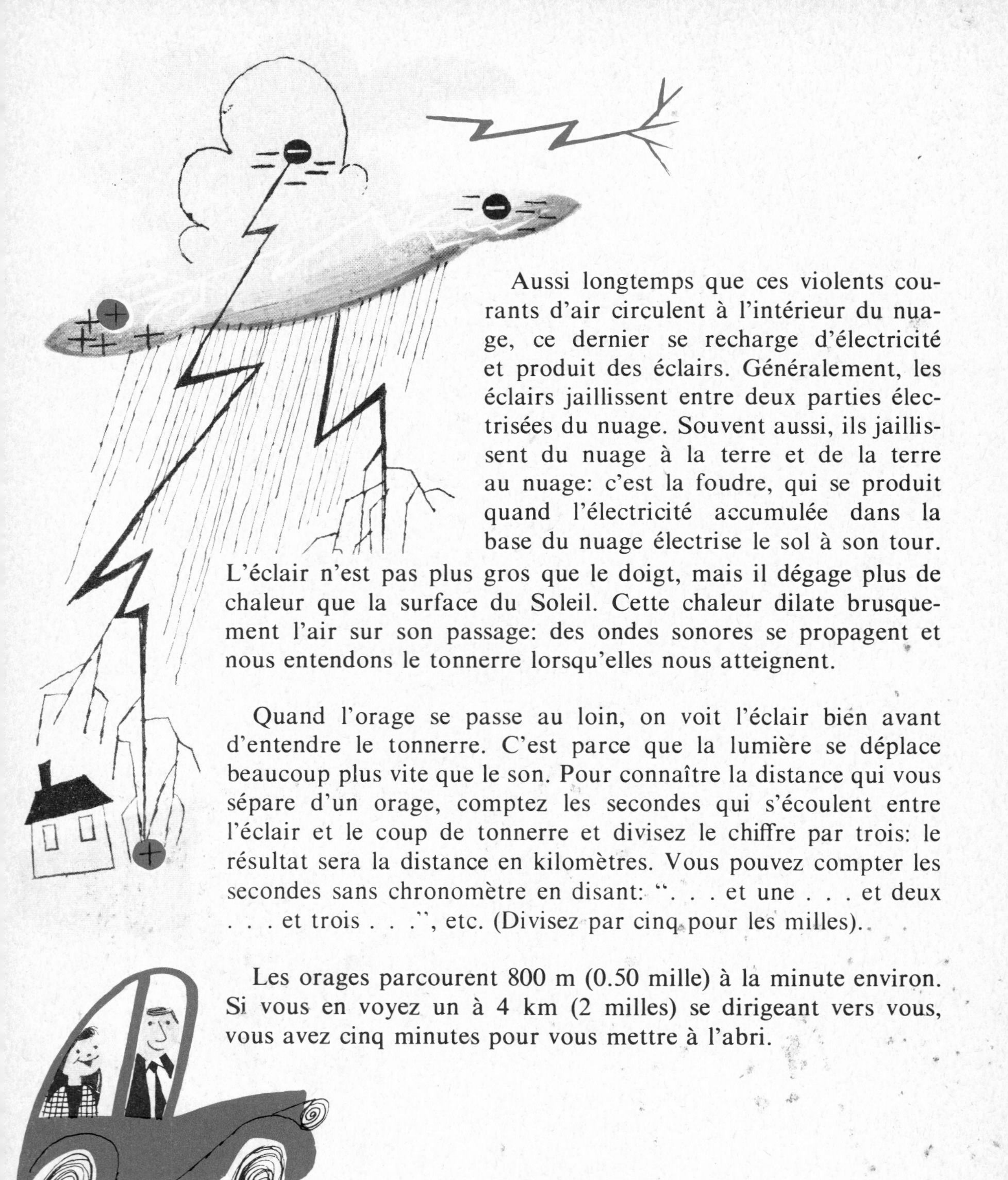

Aussi longtemps que ces violents courants d'air circulent à l'intérieur du nuage, ce dernier se recharge d'électricité et produit des éclairs. Généralement, les éclairs jaillissent entre deux parties électrisées du nuage. Souvent aussi, ils jaillissent du nuage à la terre et de la terre au nuage: c'est la foudre, qui se produit quand l'électricité accumulée dans la base du nuage électrise le sol à son tour. L'éclair n'est pas plus gros que le doigt, mais il dégage plus de chaleur que la surface du Soleil. Cette chaleur dilate brusquement l'air sur son passage: des ondes sonores se propagent et nous entendons le tonnerre lorsqu'elles nous atteignent.

Quand l'orage se passe au loin, on voit l'éclair bien avant d'entendre le tonnerre. C'est parce que la lumière se déplace beaucoup plus vite que le son. Pour connaître la distance qui vous sépare d'un orage, comptez les secondes qui s'écoulent entre l'éclair et le coup de tonnerre et divisez le chiffre par trois: le résultat sera la distance en kilomètres. Vous pouvez compter les secondes sans chronomètre en disant: ". . . et une . . . et deux . . . et trois . . .", etc. (Divisez par cinq pour les milles).

Les orages parcourent 800 m (0.50 mille) à la minute environ. Si vous en voyez un à 4 km (2 milles) se dirigeant vers vous, vous avez cinq minutes pour vous mettre à l'abri.

Le plus sûr abri contre la foudre est une voiture ou un édifice à charpente métallique: le métal conduit l'électricité vers le sol. Une tige métallique produit le même effet: c'est un paratonnerre. Bien installé, un paratonnerre protège très bien les constructions en bois.

Si l'orage vous surprend en pleine campagne, cherchez un endroit bas: si vous vous baignez, sortez de l'eau car elle conduit bien l'électricité et surtout restez loin des arbres: vous risqueriez d'être blessé par la chute d'un arbre ou d'une grosse branche. En effet, la chaleur de l'éclair transforme immédiatement la sève en vapeur et l'arbre peut éclater. Une fois à l'abri, n'ayez pas peur et profitez du spectacle grandiose de ce feu d'artifice naturel.

L'arc-en-ciel

Souvent la fin de l'orage s'accompagne d'un arc-en-ciel. Normalement, la lumière du soleil nous paraît blanche parce que ses rayons de diverses couleurs sont mélangés, mais les gouttelettes séparent les rayons, toujours dans le même ordre: rouge, orangé, jaune, vert, bleu, indigo et violet. Elles constituent les sept couleurs de l'arc-en-ciel.

Pour voir un arc-en-ciel, il faut que vous tourniez le dos au Soleil et que vous soyez placé entre le Soleil et le nuage.

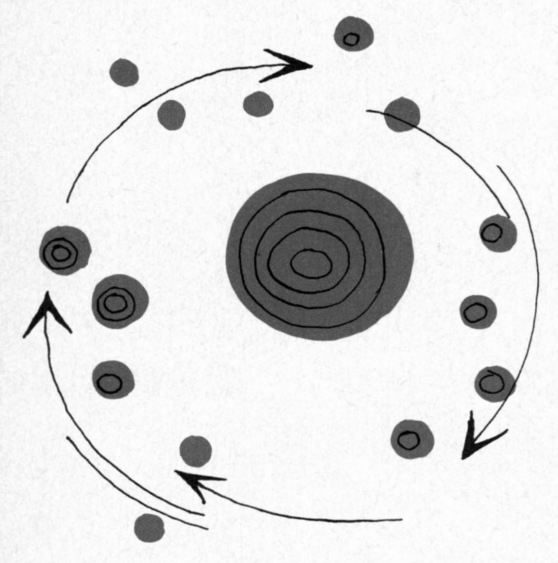

La glace qui tombe du ciel

Il arrive qu'au cours d'un orage, il tombe des morceaux de glace appelés grêlons, formés dans un nuage à très haute altitude. Ils tombent si vite que la glace qu'ils contiennent n'a pas le temps de fondre.

Il faut de très forts courants ascendants et descendants pour produire la grêle. Ils élèvent les gouttes de pluie dans la zone de surfusion où elles commencent à geler. Tant que les courants ascendants maintiennent les gouttes à haute altitude, l'eau continue de geler sur elles et les grêlons se trouvent ainsi formés de plusieurs couches de glace et grossissent progressivement.

Les grêlons atteignent souvent la grosseur d'une cerise et quelquefois d'une balle de tennis. Comme ils ne se forment qu'au cours des orages, ils sont plus fréquents en été qu'en hiver.

Lorsque, par temps froid, les gouttes de pluie en surfusion gèlent instantanément au contact du sol ou des objets, elles les recouvrent d'une couche de glace appelée verglas. Celui-ci cause souvent de graves dégâts aux arbres et aux fils électriques et téléphoniques qui cassent sous le poids de la glace.

La neige

Les flocons de neige tombent lentement et silencieusement parce qu'ils renferment beaucoup d'air parmi leurs cristaux de glace. On calcule qu'une couche de neige contient généralement neuf parties d'air pour une partie d'eau. Remplissez de neige une tasse à mesurer: en laissant fondre la neige, vous obtiendrez à peu près un dixième de tasse d'eau.

Recueillez quelques flocons de neige sur un papier ou un tissu noir et regardez-les avec une loupe. Vous verrez que leurs cristaux ressemblent à de la dentelle. Il n'y en a pas deux semblables, mais ils ont tous six branches.

Un flocon de neige commence sous la forme d'un seul petit cristal de glace sur lequel la vapeur d'eau continue à se condenser en le faisant grandir, mais le flocon de neige ne peut devenir gros qu'à une température de quelques degrés seulement au-dessous du point de congélation: l'air très froid ne contient pas assez de vapeur d'eau pour produire de gros flocons.

LES VARIATIONS DU TEMPS

On peut généralement prédire le temps qu'il fera dans les douze heures suivantes en observant les conditions locales telles que la température, la direction du vent, le degré d'humidité, la pression atmosphérique et les nuages, mais les prédictions sur une plus longue période sont plus difficiles car ce sont surtout les grands vents planétaires, les vents d'ouest dominants, qui déterminent le temps.

Les montagnes et les vents locaux obligent souvent les vents dominants à détourner leur cours, mais en Amérique du Nord, par exemple, ces vents se dirigent vers l'est, du Pacifique à l'Atlantique, à une vitesse de 800 km (500 milles) par jour en été et de 1 100 km (700 milles) en hiver. L'air froid qui arrive à Toronto un matin peut passer sur Montréal le lendemain, et la pluie qui tombe à Montréal un soir mouillera probablement Québec le lendemain matin.

Dans les régions tempérées du globe, quelques jours de beau temps sont généralement suivis d'une courte période de mauvais temps. Ces variations sont dues au fait que la masse des vents d'ouest dominants n'a pas une densité uniforme. Les parties les plus denses

forment des zones de haute pression appelées anticyclones, les autres correspondent à des zones de basse pression ou dépressions. Ces zones se succèdent sans répit et à chacune d'elles correspondent des caractéristiques météorologiques propres.

Un anticyclone est comme une montagne d'air, dont le sommet, où la pression est la plus élevée, serait au centre; le long des pentes, la pression est plus faible. Une dépression est comme une vallée entre deux montagnes; elle peut être large, ou bien longue et étroite.

Comme on peut s'y attendre, l'air tend à se déplacer d'un anticyclone vers une dépression. Toutefois, la rotation de la Terre dévie sa route et, en fait, les vents s'échappent en tournoyant du centre de l'anticyclone. Pendant ce temps, des courants descendants apportent de l'air frais; en tombant, celui-ci se comprime et s'échauffe. Il peut absorber davantage de vapeur d'eau et s'il contient des nuages, ceux-ci s'évaporent.

Vous pouvez vous rendre compte qu'un anticyclone a pénétré dans le voisinage. La pression augmente, le vent tourne et le ciel s'éclaircit. Dans une dépression, l'air tournoie de l'extérieur vers le centre où la pression est la plus faible. En chemin, il se dilate et se refroidit; l'humidité se condense et forme des nuages. Lorsqu'une dépression vient, la pression baisse, le vent change, les nuages apparaissent et peut-être un orage va-t-il éclater.

Les zones de haute et basse pression ne sont pas permanentes. En soufflant de l'une vers l'autre, l'air tend à les égaliser, mais il s'en forme toujours de nouvelles.

Mouvements de l'air dans les anticyclones et les dépressions

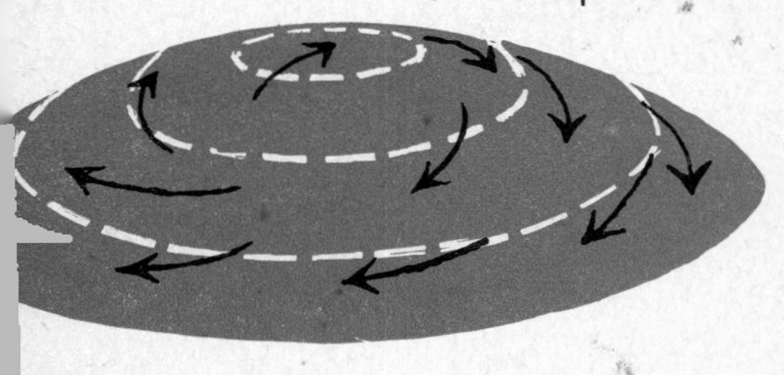

ANTICYCLONE

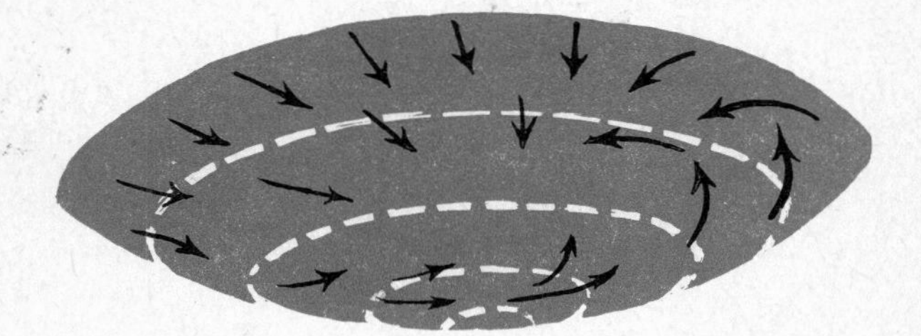

DÉPRESSION

Il existe également des anticyclones particuliers, qui se forment au-dessus d'immenses étendues de terrain plat ou d'océan, chauffées de façon uniforme. Ce sont alors des masses d'air, comme celles qui prennent naissance dans le golfe du Mexique, au nord du Canada ou dans l'océan Pacifique. L'air qui pénètre dans de telles zones de haute pression devient comme paresseux; il s'immobilise pendant parfois une semaine, suffisamment pour que sa température et son degré d'humidité se modifient.

Au-dessus des plaines glacées du grand Nord, l'air perd son humidité et devient une masse d'air sec et froid. Par contre, au-dessus des régions tropicales, l'air se réchauffe et se charge d'humidité; il forme une masse d'air humide et chaud.

Vagues de chaleur ou de froid

L'une ou l'autre de ces masses d'air nous atteint pratiquement tous les jours. Chacune s'est déplacée à une vitesse et dans une direction qui lui est propre, mais les vents d'ouest dominants la dévient vers l'est.

Parfois, la partie supérieure d'une masse d'air se détache et continue son chemin, très haut dans le ciel. Après quelque temps, elle se refroidit et descend; ce faisant, elle va se comprimer et s'échauffer. Lorsque cet air atteint le sol, il est clair et chaud. S'il s'attarde dans une région, il cause ce que l'on appelle une vague de chaleur.

Inversement, lorsqu'une masse d'air polaire atteint nos régions, elle cause une brusque vague de froid. Toutefois, celle-ci ne dure généralement pas très longtemps, car l'air très froid circule plus vite que l'air chaud, et ne s'attarde pas trop à la même place.

Une vague de chaleur peut être suivie d'une vague de froid, provoquant ainsi des variations spectaculaires de la température. Il arrive que le thermomètre baisse de plusieurs dizaines de degrés en une seule nuit.

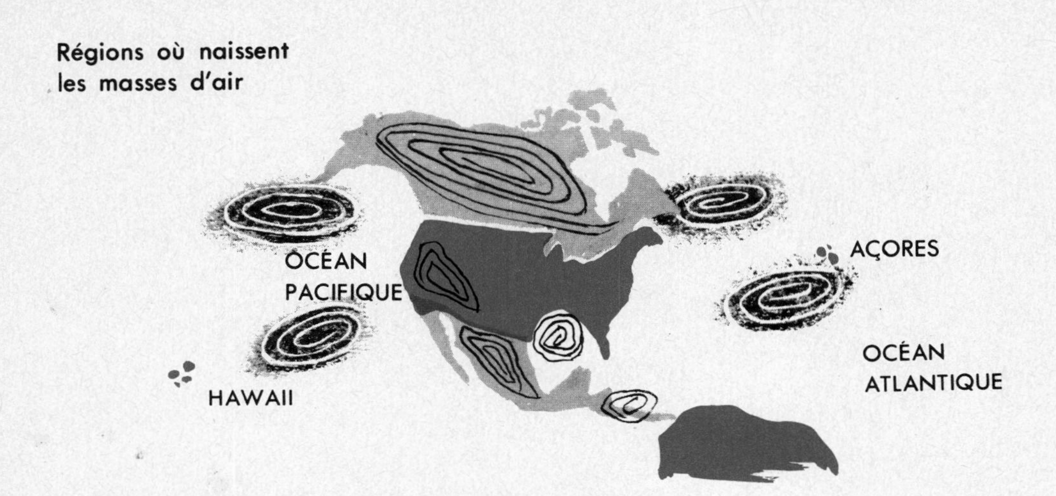

Le choc des masses d'air

La plupart de nos orages se produisent quand deux masses d'air de températures différentes se bousculent pour avoir le droit de passage. Généralement, l'air chaud est forcé de monter: il se dilate et se refroidit rapidement. Son humidité se condense en épais nuages qui envahissent le ciel et déversent des millions de litres d'eau sur leur passage.

La surface de contact entre les deux masses d'air s'appelle un front. Chaque front dure plusieurs jours car l'air froid et l'air chaud se mélangent lentement. On peut en voir un exemple chez soi quand on ouvre la porte d'une pièce chaude et enfumée donnant sur une pièce froide: l'air froid traverse le seuil au niveau du plancher et se glisse sous l'air chaud en pénétrant dans la pièce, tandis que l'air chaud passe lentement par-dessus pour pénétrer dans la pièce de plus basse température.

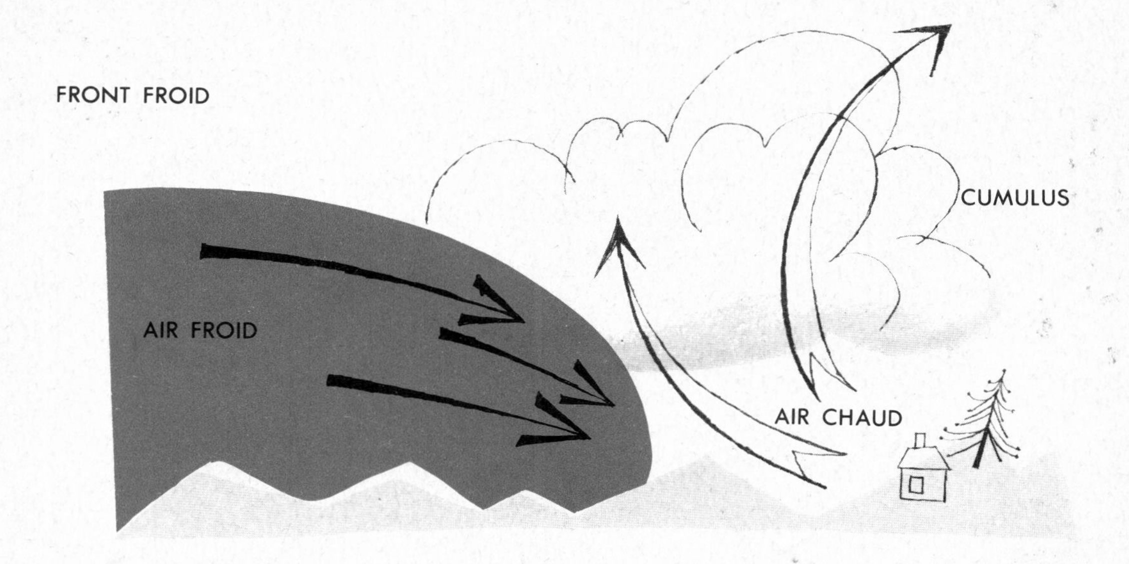

Front chaud ou froid

Imaginez qu'une masse d'air chaud se soit attardée dans votre région. La température est élevée et il fait très humide; tout le monde se plaint. Mais heureusement, une masse d'air froid et sec venant des régions polaires se dirige vers vous.

Les nuages annoncent le changement. Des cirrus, des altocumulus et quelques cumulus apparaissent dans le ciel. Ces derniers commencent à grossir; c'est le signe que la masse d'air froid est arrivée. Un front incliné se forme à l'endroit où les masses d'air froid et chaud se rencontrent; l'air froid, plus rapide, se glisse sous l'air chaud et le soulève.

L'air chaud monte et se dilate, le baromètre baisse brusquement. L'humidité de l'air se condense et le cumulus devient un immense nuage noir d'où commencent à tomber de grosses gouttes de pluie. Mais l'orage ne dure pas longtemps, car le front se déplace rapidement. Derrière lui vient la masse d'air froid; le temps devient clair et beaucoup plus frais.

Ce changement rapide est une caractéristique du front froid, ainsi appelé parce que c'est la masse d'air froid qui chasse l'air chaud.

Lorsque c'est le contraire qui se produit, il se forme un front chaud. Les changements qu'il apporte ne sont pas aussi brusques que ceux d'un front froid, parce que la limite entre les deux masses d'air est à peine inclinée. L'air chaud s'engage lentement sur la pente au-dessus de la masse d'air froid. Au fur et à mesure qu'il se condense, il forme de longues traînées de nuages; ce sont les stratus.

Pendant que le front incliné se déplace au-dessus de vous, des cirro-stratus, des altostratus et des stratus recouvrent le ciel. Ils sont épais et gris et pendant un jour ou deux, il y aura une pluie ou une neige continue. Puis arrive la masse d'air chaud; en été, elle apporte un temps chaud et humide, en hiver peut-être le dégel.

Vous comprenez maintenant pourquoi les nuages sont d'importants indices. Ils avertissent de l'approche d'un front. Les cumulus indiquent une soudaine montée d'air le long d'un front froid abrupt, alors que les stratus signalent que l'air monte la pente douce d'un front chaud.

Les mêmes indications sont données par le baromètre. L'approche d'un front froid fait brusquement baisser la pression; un front chaud provoque une baisse progressive.

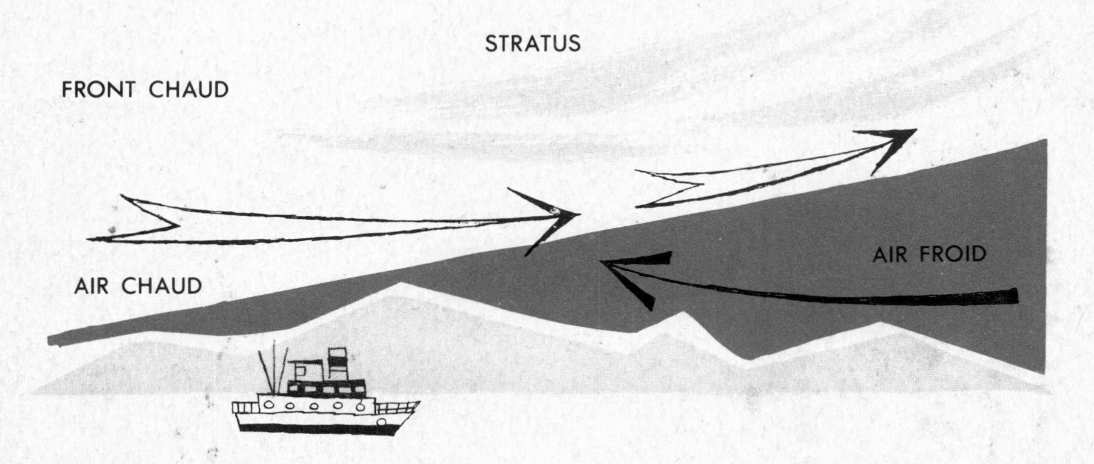

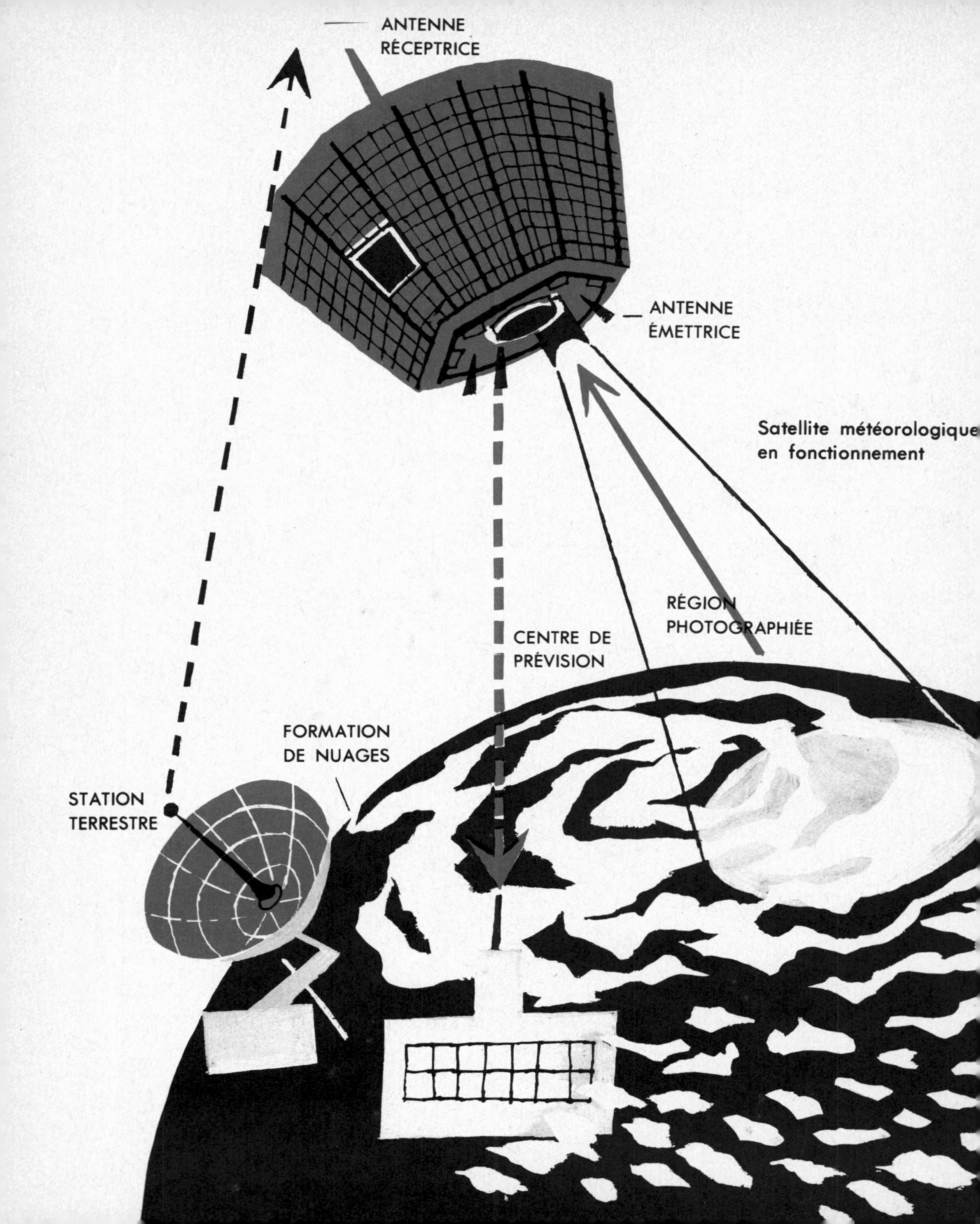
ANTENNE
RÉCEPTRICE
ANTENNE
ÉMETTRICE
Satellite météorologique
en fonctionnement
RÉGION
PHOTOGRAPHIÉE
CENTRE DE
PRÉVISION
FORMATION
DE NUAGES
STATION
TERRESTRE

Les prévisions du temps

Tous les pays observent les variations du temps. Chaque jour, des milliers de stations, qui forment un réseau mondial de communications, enregistrent de multiples renseignements; chaque station rend compte de ses observations au bureau météorologique de son pays. A leur tour, les bureaux échangent les informations reçues par radio ou télétype et établissent les prévisions.

Le réseau est bien organisé, mais les informations ne sont pas complètes, car il manque des stations en mer et dans les régions désertiques. Cet inconvénient est aujourd'hui surmonté grâce aux satellites météorologiques qui patrouillent la haute atmosphère.

Le premier a été lancé en 1960 par les Etats-Unis. A l'heure actuelle, il y en a des dizaines en orbite autour de la Terre. Chacun d'eux est équipé avec des appareils de prises de vues, commandés par les stations terrestres, qui transmettent par télévision l'image des formations de nuages. Une quantité considérable de renseignements a pu ainsi être obtenue. Les photographies montrent des nuages en spirales autour de vastes zones de basse pression, dont les mouvements peuvent être observés en comparant des photographies successives. On peut suivre le déroulement des orages depuis le début jusqu'à la fin et détecter les ouragans bien avant qu'ils ne représentent un danger immédiat.

Devant l'intérêt considérable de ces photographies, on a proposé d'inclure les satellites dans le réseau météorologique mondial et de mettre au point des postes de télévision qui permettraient à tous les pays de recevoir directement les images. Lorsque cet équipement sera en service, les stations du monde entier pourront améliorer considérablement leurs prévisions météorologiques.

L'ordinateur au service de la météorologie

Les satellites météorologiques nous rendent encore un autre service important: ils portent des instruments permettant de mesurer la chaleur réfléchie par les nuages ou par le sol. A partir de ces données, les savants étudient dans quelle mesure les gains ou les pertes de chaleur dans l'atmosphère exercent une influence sur les vents et les orages. Ces études permettront peut-être de prévoir le temps à long terme avec exactitude.

Depuis quelque temps, les météorologistes emploient des ordinateurs géants, qui peuvent faire des milliers d'opérations arithmétiques par seconde. On enregistre dans leur mémoire les données de température et de pression fournies par des centaines de ballons-sondes et de fusées. Sur la base de ces informations, les cerveaux électroniques peuvent prédire pour plusieurs jours les variations météorologiques. En outre, grâce aux renseignements fournis par les satellites, la période possible des prévisions s'étendra encore davantage et nous pouvons espérer dans l'avenir connaître le temps qu'il fera pendant un mois ou même pendant la saison.

Le temps modifié à volonté

Le mot météorologie peut se traduire textuellement par "discussion des choses qui sont dans l'air". En effet, il vient du grec *meteôron* qui signifie "chose qui est dans l'air" et de *logos,* qui veut dire "discours". Pendant longtemps, les savants qui étudiaient la météorologie se contentaient de décrire ce qui se passait. Ils ne pouvaient pas faire grand-chose pour modifier le temps.

Cela n'est plus le cas aujourd'hui, car les météorologistes peuvent prédire les mouvements de l'atmosphère et ils étudient divers moyens de modifier le temps prévu.

Production artificielle de la pluie

Les météorologistes savent fort bien qu'ils ne peuvent pas fournir l'énorme énergie nécessaire pour provoquer des vents violents ou pour former de gros nuages de pluie, mais ils ont pensé à accélérer ou à ralentir la formation de certains éléments du temps.

C'est ainsi qu'ils ont cherché le moyen de faire tomber la pluie à volonté en projetant sur les nuages de la neige carbonique ou de l'iodure d'argent; les cristaux de glace autour desquels se forment les gouttes deviennent ainsi plus nombreux et on obtient souvent des averses. Mais la pluie ne serait-elle pas venue de toute façon? Jusqu'à présent, les expériences ont seulement montré que l'on accélère ainsi les précipitations.

Un procédé analogue a été employé pour chasser les nuages au-dessus des aérodromes. On cherche maintenant à calmer les ouragans. En effet, selon une théorie à l'étude, si un ouragan est ainsi traité à son début, une partie des nuages vont s'évaporer et l'orage sera moins violent.

Les résultats de toutes ces études sont prometteurs. Ils semblent indiquer qu'il sera un jour possible de prévenir certains aspects du mauvais temps et d'augmenter ainsi les périodes de beau temps.

MÉTHODE POUR PRÉDIRE LE TEMPS

Pour établir leurs prévisions, les météorologistes disposent, entre autres moyens, d'une carte spéciale, sur laquelle sont portées toutes les caractéristiques du temps, c'est-à-dire la situation atmosphérique de chaque région, à un moment donné, au niveau du sol. Elle représente les zones de haute et de basse pression, les fronts et autres détails. Sa préparation est un travail minutieux, réalisé en collaboration avec toutes les stations météorologiques d'une région donnée, d'un pays et même du monde entier. Chaque pays, selon son étendue, en possède des dizaines ou des centaines.

Dans chaque station, les météorologistes enregistrent la vitesse et la direction du vent, la quantité et la forme des nuages, la température, la pression atmosphérique, le degré d'humidité, etc. Tous ces renseignements sont transmis par télétype ou radio à un bureau central où ils sont reportés sur une grande carte.

Les météorologistes aiment employer un langage chiffré, mais leur code n'a rien de secret; c'est un langage international, conçu pour être facilement compris par les météorologistes de tous les pays du monde, quelle que soit leur langue, et faciliter ainsi l'échange rapide des renseignements.

Ces renseignements sont codés en chiffres et généralement groupés en nombres de cinq où chaque chiffre a une signification selon le groupe où il se trouve et la place qu'il y occupe, par exemple: 40530 83220 12716 24731 67228 74542.

Dans ce message, 405 est le numéro de la station émettrice et 30 est la température du point de rosée. Dans le groupe suivant, 8 signifie "ciel entièrement couvert"; 32 indique que le vent souffle de 320° (du nord-ouest) et 20, que sa vitesse est de 20 nœuds, et ainsi de suite.

Au bureau central, ces messages sont déchiffrés et reportés sur la carte. Chaque station y est représentée par un petit cercle autour duquel sont dessinés les signes correspondant au temps qu'il fait à cet endroit. Des lignes appelées isobares sont tracées pour relier les stations où la pression atmosphérique est la même; cette pression est indiquée près de chaque ligne.

En général, ces isobares forment des groupes de cercles concentriques dont le centre est marqué d'un A (anticyclone) ou d'un D (dépression), selon qu'il s'agit d'une zone de haute ou de basse pression.

Ensuite, on localise les différents fronts. Ils se trouvent là où une série de stations avec de hautes températures est près d'une série

de stations où la température est basse. On trace alors les lignes des fronts, chaque type étant représenté par un symbole différent.

Une fois terminée, la carte est envoyée par téléphoto à tous les centres météorologiques, ainsi qu'à l'imprimerie où on la reproduit à des milliers d'exemplaires.

En regardant la carte du jour, le météorologiste essaie de déterminer où les anticyclones, les dépressions et les fronts se trouveront le lendemain. En comparant la carte avec celles des jours précédents, il voit généralement que les masses d'air et les fronts froids se dirigent vers le sud et l'est, alors que les masses et les fronts chauds vont vers le nord et l'est. Puisqu'ils continueront vraisemblablement leur course dans la même direction et à la même vitesse au cours des prochaines 24 heures, il peut savoir avec assez de précision où ils se trouveront le lendemain.

Le météorologiste compare ses résultats avec ceux donnés par les ordinateurs; il tient compte des renseignements fournis par les satellites, étudie les conditions météorologiques locales et consulte tous ses instruments.

Finalement, en tenant compte de tous ces éléments, il établit les prévisions pour le lendemain. Elles seront aussitôt envoyées aux journaux, aux postes de radio et de télévision.

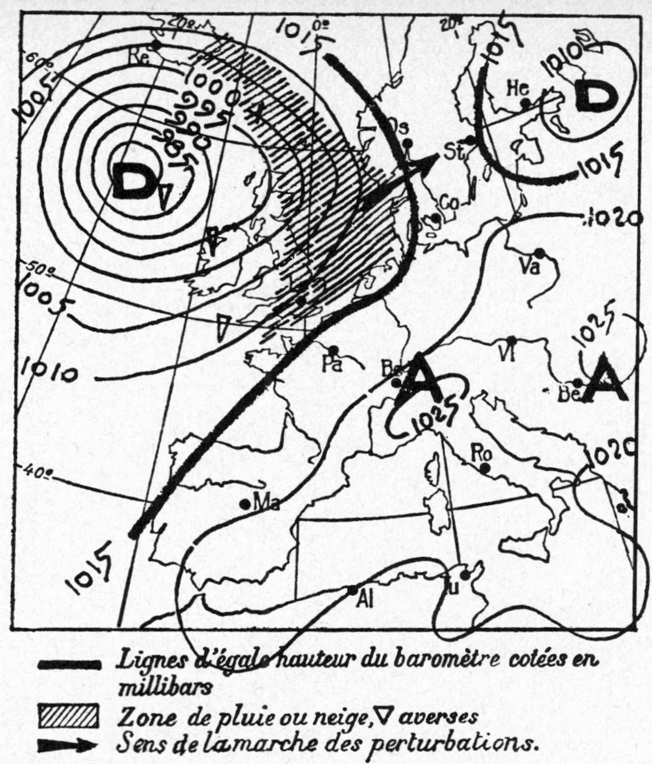

Lecture d'une carte météorologique

La carte météorologique représentée ci-dessus est celle que l'on peut voir dans les journaux. Celle-ci indique l'évolution probable du temps en Europe occidentale pour une période de 24 heures.

Les fines lignes courbes sont les isobares qui relient les points où la pression atmosphérique est la même. Cette pression est marquée à chaque ligne en millibars (unité de pression employée par les météorologistes et valant environ 3/4 de mm, soit 0.03 pouce). L'isobare 1 015 indiqué par une ligne renforcée représente des conditions de pression à peu près normales; puisque la pression moyenne au niveau de la mer est de 760 mm de mercure, soit 1 013 millibars.

Dans les zones d'anticyclones (A), la pression est plus élevée que la moyenne et décroît de l'intérieur vers l'extérieur; le vent tourne en spirale autour du centre de l'intérieur vers l'extérieur.

C'est le phénomène contraire qui se produit dans les zones de dépression (D): la pression, plus basse que la moyenne, décroît de l'extérieur vers l'intérieur et les vents, sensiblement parallèles aux isobares, tournent en spirale vers l'intérieur autour du centre de dépression.

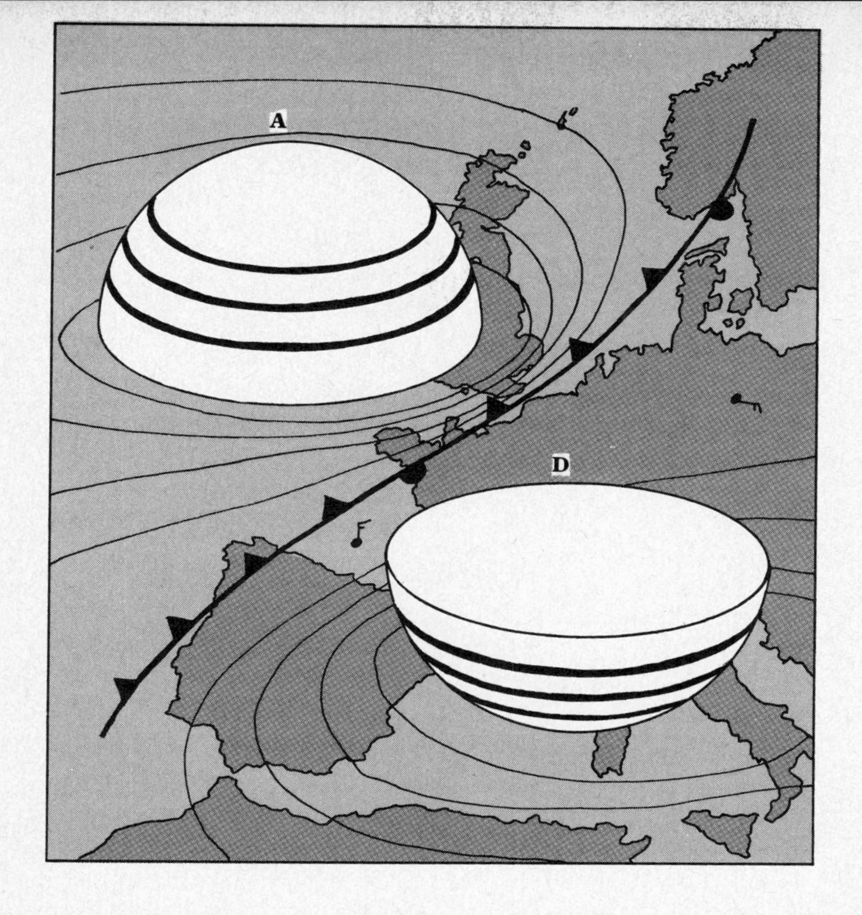

Comme la carte est plate et ne peut rendre compte de l'épaisseur de l'atmosphère, il est difficile de se figurer ce que représentent les isobares. Imaginez chaque centre de haute pression ou anticyclone (A) comme le sommet d'une montagne d'air et chaque centre de basse pression ou dépression (D) comme le creux d'une vallée.

Pour mieux comprendre comment ces lignes figurent les hauts et les bas, prenez un bol transparent et tracez des cercles dessus. Chaque cercle représente une ligne de points situés à la même hauteur.

Posez le bol à l'envers sur une carte: son fond représentera le centre de haute pression. Penchez-vous au-dessus du bol et regardez au travers: les lignes concentriques paraîtront projetées sur la carte comme les isobares indiquant tous les points d'égale pression.

Retournez le bol à l'endroit: il représentera une dépression et son fond marquera le centre de basse pression.

PRÉVISIONS DU TEMPS POUR LE MOIS DE JUILLET

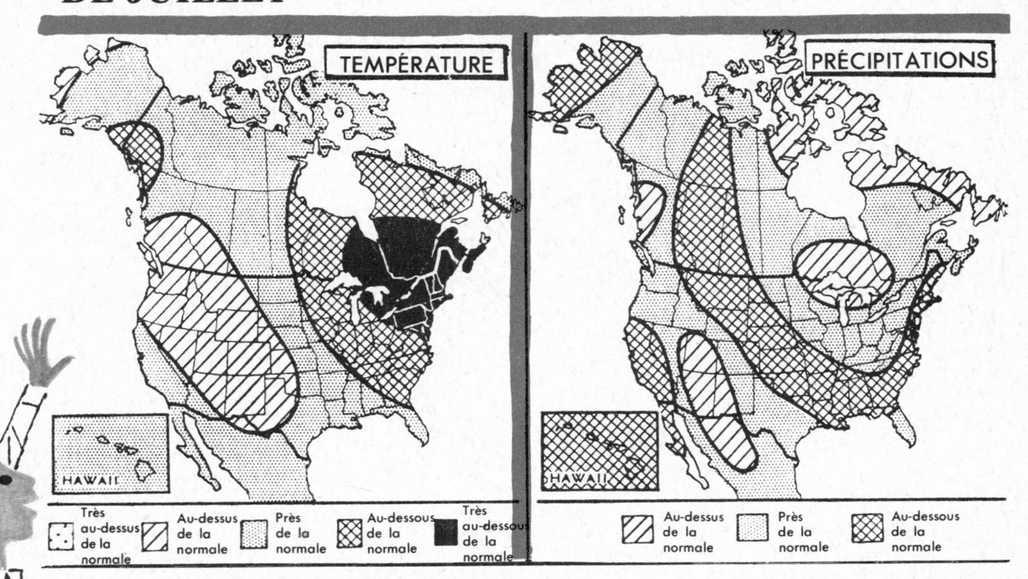

Prévisions à longue échéance

En plus des prévisions quotidiennes, les journaux et la télévision donnent souvent des prévisions pour une période de cinq jours ou même d'un mois. Elles sont basées sur les observations de la haute atmosphère et établies avec l'aide des ordinateurs et autres appareils électroniques.

Les prévisions pour cinq jours indiquent le temps probable qu'il fera chaque jour de la période et elles sont généralement précises. Les prévisions mensuelles sont moins détaillées; ce sont des perspectives météorologiques. Une carte indique les régions où la température sera probablement très supérieure, supérieure, égale, inférieure ou très inférieure à la normale. Sur une autre carte sont portées les régions où les précipitations prévues, pluie ou neige, seront supérieures, égales ou inférieures à la normale.

Ces perspectives mensuelles sont d'une grande utilité pour les cultivateurs qui décident le moment des semailles ou pour tous ceux qui veulent s'approvisionner à temps en combustible.

Comment établir soi-même des prévisions

Pourquoi n'essayeriez-vous pas de prévoir le temps, tout comme les météorologistes? Utilisez la carte publiée tous les jours dans votre journal ou bien procurez-vous les cartes officielles de l'Office météorologique de votre pays.

Comparez les cartes des quatre jours précédents; étudiez les zones de haute et de basse pression et les fronts en traçant leur route. En utilisant l'échelle au bas de la carte, déterminez la distance parcourue en un jour par chaque formation. En tenant compte de la direction de chaque front, trouvez celui qui se dirige vers vous et à partir de sa position de la veille, calculez quand il parviendra jusqu'à vous. La vitesse moyenne horaire d'un front froid est de 40 km (25 milles); celle d'un front chaud, 25 km (15 milles). Vous pouvez maintenant prédire le temps qu'il fera demain en tenant compte de toutes ces observations.

Vérifiez si vos prévisions étaient justes pour votre voisinage immédiat; surveillez les vents et les nuages et regardez si le thermomètre et le baromètre montent ou descendent.

Que vous fassiez vos prévisions avec ou sans carte météorologique, souvenez-vous des points suivants:

Si le vent change, le temps changera aussi. Observez le vent de pluie et le vent de beau temps dans la zone où vous habitez.

Les nuages signalent l'approche de fronts. En général, des formations de cumulus indiquent qu'un front froid arrive et que le temps sera frais. Des formations de stratus avertissent de l'arrivée d'un front chaud; la température va donc monter.

La pression tombe avant un orage. Une brusque baisse de pression annonce un orage froid dans quelques heures; une baisse progressive signifie qu'un front chaud s'approche, attendez-vous à un ou deux jours de pluie ou de neige. Si le baromètre monte, le temps va s'éclaircir. S'il reste stationnaire, aucun changement n'est à prévoir.

Les variations de température aident à localiser les masses d'air. Le thermomètre monte quand une masse d'air chaud s'approche, il descend quand une masse d'air froid n'est pas loin.

Vous devez vérifier vos prévisions en les comparant à celles du météorologiste et avec le temps réel qu'il a fait. C'est le meilleur moyen d'améliorer votre exactitude.

Parfois, vous vous tromperez tout comme le météorologiste. Le temps, lui, obéit aux lois de la nature.